甲蟲男孩

2

女王再臨

BEETLE QUEEN

M.G.Leonard

M.G.里奧納 著　黃意然 譯

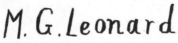

獻給山姆、賽巴斯汀與亞瑟

並紀念柯奈莉亞·史塔克斯

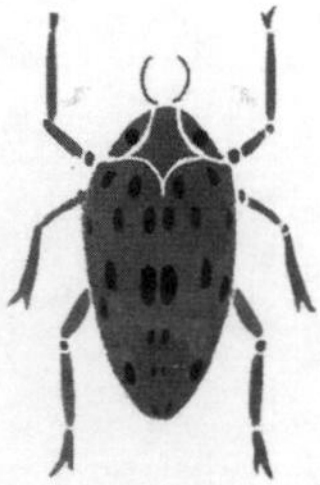

我們可以根據一個人對待動物的方式，
來衡量他的內心。

——伊曼努爾·康德

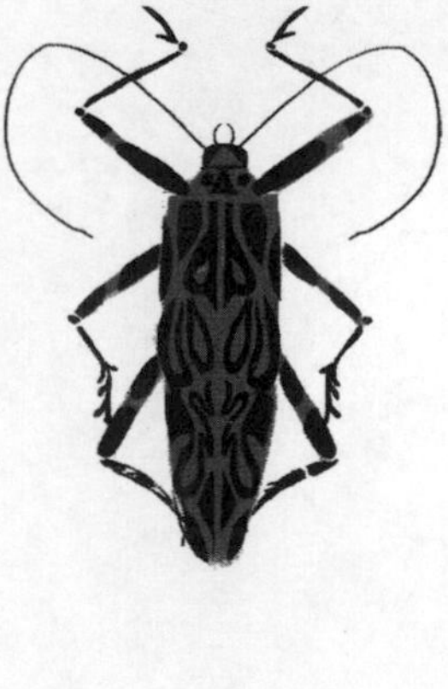

推薦序

因為甲蟲，讓我的人生充滿各種可能！

文／科普書籍作者・自然生態觀察家黃仕傑

試問，有哪位大小朋友看到獨角仙或鍬形蟲，能不被牠們強壯的外觀吸引而靠近觀察？我自認是一個超級喜愛甲蟲的生態觀察愛好者，無論何時何地，對於各種形狀、顏色、習性、大小不同的甲蟲，都能以不同的角度與方式去發現、記錄牠們的美。喜愛甲蟲的歷程吸收許多不為人知的科學知識，因此有機會出版多本甲蟲相關圖鑑與觀察日記，並在人生道路上遇到各界一樣喜愛甲蟲的好友，其中不乏甲蟲研究學者，跟著他們一起研究學習，雖然田野調查非常辛苦，常常豔陽下雨餐風露宿，但依舊樂此不疲。研究團隊為了感謝我數年來的協助，因此在二〇一四年將臺灣南部發現的新種甲蟲，以我的名字為其命名為：「仕傑擬迴木蟲」（拉丁文學名：*Euhemicera shihchiehi*），讓我與甲蟲之間的緣分變得更緊密難分。

閱讀此書時，感覺自己就像主角——達克斯，在作者筆下與甲蟲一起冒險，跟著魔幻的內容暢遊在不同視角的甲蟲世界，其中有很多甲蟲都是我真正在原產地遇過的種類，如高卡薩斯南洋大兜蟲、粗腿金花蟲等。《甲蟲男孩2：女王再臨》內容比起上一集更加緊湊，作者巧妙結合想像力、懸疑、科學知識，非常符合我這個長不大的大男孩與我家正在長大中的小男孩。我跟孩子會因為內容來討論金龜子外表上發亮的鱗片，為什麼要有這些鱗片？為什麼發亮？為什麼會脫落？找完資料後再回到書中內容，完全達成閱讀、發現、好奇心、找答案，最後歸納結論，而且還達成最無價的親子時光。

我從小就熱愛這些身披盔甲的昆蟲，雖然當時家裡並不允許我的興趣，反而把我送去學鋼琴、小提琴，但冥冥之中甲蟲早已進駐內心深處，而且在多年之後一次爆發，讓我能在生態世界裡藉由甲蟲賦予的雙翅，任意翱翔並不斷完成自己的夢想。我誠摯的推薦給您與孩子，無論是自己拿著書細細品味文字內容，或是說故事般與孩子共讀，都可以藉由《甲蟲男孩 2：女王再臨》跟著我與主角達克斯還有甲蟲們運用神奇的能力來場充滿想像力的冒險，保證絕無冷場，而且值得一讀再讀！

1 白雪公主

門口傳來輕輕的敲門聲。

「夫人？」

盧克莉霞．卡特轉頭，她無眼皮的雙眼閃閃發亮，宛如墨黑的囊腫，四條黑色幾丁質的腿毫不費力的攀附在白色天花板上，她的紫裙布料垂向地板。「傑拉德，什麼事？」她回答。

「美國女演員小露比．希梭羅來試穿禮服了。」法國管家隔著門說。除非受邀，他不得進入白廳。

「你可以帶她過來。」

「遵命，夫人。」

她聆聽管家謹慎的腳步聲順著走廊離去。能夠察覺周遭空間裡微乎其微的動靜真叫人興奮，這副新的身體和敏銳的感官讓她強大無比。她熱切期盼能夠向世界展現出真面目的那一刻。快了。再過不久。

她伸出人類的前臂，爬到門邊的牆壁上，以驚人的速度飛快往下爬，到達地面後，迅速翻身用後足站立。她邊走到房間另一頭，邊把中足收進裙子內襯的特殊口袋，拉上拉鍊，隱藏她的甲蟲身體。她撿起擱在玻璃桌上死氣沉沉的黑色假髮戴上，再拿起壓克力椅背上的白色實驗袍。她把兩手伸進袖子裡，套上實驗袍，再迅速從口袋掏出一副過大的墨鏡，戴到鼻子上遮住複眼。

她轉身照鏡子審視自己，抓起靠在桌邊的黑檀木手杖。她並不需要手杖，不過拄手杖會讓別人相信她出過車禍；而車禍這看似合理的說詞，成功掩飾了她在蛹化室裡蛻變的事。

她的感官抽動了一下。她感覺到無聲腳步的震動，來自她的私人保鏢。

玲玲是名女忍者，受過中國末代皇帝溥儀的保鏢高松壽嗣的培訓。她曾經是紐約芭蕾舞團最年輕的首席舞者，但在一次《天鵝湖》的演出中，她以破紀錄的速度表演黑天鵝的三十二圈揮鞭轉時，重重傷了腳踝，舞蹈生涯因此終止。玲玲就此高掛舞鞋，拿起忍者的劍，成為致命的危險人物。

盧克莉霞．卡特打開門。玲玲在門外等候，穿著一貫的黑西裝。

「有那些可惡甲蟲的蹤跡嗎？」

玲玲搖頭。「柯雷文和丹奇許還在找。」

「一群蠢貨。」盧克莉霞．卡特咕噥抱怨，「放出黃色瓢蟲。我需要全城上下布滿眼線。那些該死的甲蟲可能會壞了我的好事。我要找到牠們，消滅牠們。」

玲玲草草點了點頭。

與大賣場甲蟲的大戰出人意料，盧克莉霞．卡特可不習慣打敗仗。她想要毀滅那些甲蟲，不光是因為牠們是她偷偷養基因轉殖昆蟲的證據，也因為牠們讓她當眾丟臉。她不得不收買許多人，好避開牢獄之災，阻止她新眼睛的影像登上報紙頭版。那些甲蟲浪費了她的時間和金錢，要等到牠們被碾成灰她才會開心。

「還有，玲玲，除了眼線外，再派出有毒的瓢蟲──十一星黃色瓢蟲。假如還有人敢多管閒事，就把他給我消滅掉。」她舉起食指，「不過，不許碰巴索勒繆．卡托。明白嗎？他是我的。」

玲玲鞠個躬，輕手輕腳的離開。

盧克莉霞．卡特關上門。巴索勒繆逃脫讓她很生氣，不過他會回來的──他會不由自主。她用食指輕敲上唇，思忖那些叛徒甲蟲。說真的，她應該為牠們的能力好好稱讚自己一番，畢竟，牠們出自**她的**實驗室。

她微微一笑。誰想得到將巴索勒繆．卡托的DNA和甲蟲的DNA拼接在一起，會得到這麼厲害的結果──具有獨立思考能力、展現自由意志的鞘翅目？這可是新發現。她從沒看過不同種的甲蟲共同合作對抗敵人，真叫人興奮。不過，她注意到牠們缺少了殺手本能。她冷笑了一下。牠們八成遺傳了巴索勒繆的豆腐心。她的新甲蟲一半是德國狼犬：可訓練、能打鬥，而且可以執行命令。她養了一大群聽話的奴隸，目前，這正是她所需要的。

她走到桌後的雙向鏡前，從實驗袍口袋拿出口紅，塗上微微發亮的金黃色後，咂一咂嘴唇。克里普斯那小子，竟然放走卡托甲蟲，害她的工作倒退了好多年，讓她恨不得把那傢伙掐死。

門上一聲輕敲，熟悉的沙啞傻笑聲傳來，她轉過身去。

「進來吧。」她臉上掛上客套的微笑。

傑拉德打開門，一位身穿粉紅毛衣、白色百褶裙的性感金髮女郎搖搖擺擺的走進來。

「露比，親愛的，真高興見到你。」盧克莉霞邊說邊穿過房間。

小露比．希梭羅將金色捲髮甩過肩頭，用挑剔的眼光打量這間裝潢簡陋的房間。

「哇！你的室內設計師是誰啊？」她舉起一隻手。「不，不必說了。不管是誰，都把他開除掉。這裡簡直就像科學實驗室一樣。」她厭惡的皺著臉，用修剪得完美無缺的手指指著盧克莉霞．卡特。「亂詭異的。你的藥房風格太過頭了，這房間需要添加一點色彩。」她的手指隨意揮向房內各處。「杏黃或桃紅。另外還要靠枕，人人都愛靠枕。需要幫忙的話，我認識一個很棒的設計師，」她咯咯笑著，「我想，我們倆都知道你很需要。」

盧克莉霞．卡特沒回答，在接下來尷尬的沉默當中，她始終帶著禮貌的笑容。

「只是想幫個忙嘛。」露比滿不在乎的嘆了口氣，並向傑拉德拋了個媚眼。「我好渴喔。有氣泡水嗎？」

管家走向實驗室工作臺下的冰箱，拿出一只結霜的玻璃杯和一個深綠色的瓶子。他開瓶後將香檳酒杯注滿，遞給正在等待的女演員。

盧克莉霞．卡特雙手一拍。「那麼，我們要在電影獎上偷走全世界的心嗎？」

「我當然要。」露比一口氣喝光杯中物，將酒杯交還給管家，再用袖子擦一下嘴巴。「不然我怎麼會在這裡？」

「很好。」盧克莉霞．卡特咬緊牙關擠出微笑，提醒自己這次試衣很重要。「傑拉德，帶『白雪公主』來。」

「白雪公主？誰是白雪公主？」露比皺起眉頭，「我以為是由我來試穿？我在電話中跟你的人說過了。我現在可是大明星，我才不會……」

傑拉德推了一個細長的深色大箱子進來，那箱子和他一樣高。

「我把我的作品稱為『白雪公主』，因為它是用自然界所能找到最純淨的白色物質製成的。」盧克莉霞．卡特說。

傑拉德輕輕打開箱扣，箱子的門隨之開啟。箱子裡面閃閃發亮，一件雅致的禮服掛在金色衣架上，散發出光芒。

「天哪！」露比讚嘆的倒吸一口氣，精心修剪的指尖輕輕拂過她的紅脣。「這禮服是用仙塵做的吧！」她走向衣箱，伸出手去摸。

「事實上，是用甲蟲製成的。」

「用**什麼？**」露比迅速收回手。

「說得更精確一點，是白金龜屬的甲蟲，」盧克莉霞繼續說，「一種亞洲甲蟲。那極度純白是來自鱗片上一層薄薄的反射光子晶體。這些鱗片比人類製造的任何紙張或物質都要來得白，因為鱗片有複雜的分子幾何結構，能夠非常有效的散射光線。」

露比驚恐的盯著那件禮服。「你是說，這件禮服是用蟲子做的？牠們已經死了，對吧？」

「為了產生這麼完美的白色鱗片，白金龜必須用同等的強度反彈所有的顏色。」盧克莉霞．卡特繼續說明，「這是大自然難得一見的奇蹟。不過，把這些完美的白色鱗片用在為典禮所設計的服裝上，那裡燈火通明，還充滿了照相機的鎂光燈、聚光燈——嗯，這將是前所未有的創舉。」她直視小露比．希梭羅的眼睛，「穿這身禮服的人，將會讓所有注視她的人都目眩神迷。她將成為真正的明星。」

露比的目光轉回到箱子裡的禮服上。

「想試穿一下嗎？」盧克莉霞．卡特走近女演員，低聲說著，「我可是為你量身訂做的喔。」

露比緩緩的點頭。「嗯哼。好吧。」

盧克莉霞・卡特示意傑拉德把禮服從箱子拿出來，掛到豎立在房間另一側的樸素白色屏風上。「到屏風後頭穿上吧。傑拉德會為你拿出鏡子。」

露比小心翼翼的看著那件禮服。「牠們只不過是蟲子，對吧？」

「一點也沒錯，」盧克莉霞・卡特點點頭，她看著女演員遲疑的穿過房間，走到屏風後頭，臉上的笑容毫不鬆懈。「只不過是蟲子罷了。」

「喔，天啊，」露比把禮服從頭部套上時發出讚嘆，「這件禮服的觸感真是不可思議。」

當這位美國女演員穿著「白雪公主」，光著腳走出來時，盧克莉霞・卡特臉上客套的微笑放鬆下來，化為真正的笑容。那禮服光彩奪目，剪裁像一九二〇年代的直筒低腰連身裙，不過上面不是亮片或珠子，而是覆滿了細小的白色甲蟲翅鞘，隨著女演員身體的一舉一動反射光線，閃爍著微光。

傑拉德展開衣箱的蓋子和側面，露出三面全身鏡，讓露比可以從各個角度端詳自己。她轉身背對鏡子回頭查看，對自己嘛嘛嘴。

「喔，太棒了！」她興奮的跳上跳下，「我看起來美極了！」

「像女神一樣光芒四射。」盧克莉霞・卡特點點頭。

「對啊！看看我，我完全是女神嘛。」她兩手插腰，朝鏡子傾身，炫耀自己豐滿的胸部。「這件禮服我要定了！」她抖動臀部和肩膀，甲蟲發出令人滿意的敲擊聲。「電影獎上的其他女生不會有像這樣的禮服。」

「在這件禮服旁邊，其他禮服都會像條髒抹布。」盧克莉霞．卡特說，「當你腳步輕盈的走在紅地毯上，鎂光燈一閃，每一片甲蟲鱗片都會完美的反光，為你罩上天使的光環。」

「只要我比史黛拉．曼寧更亮眼就好。」她大搖大擺走向鏡子再後退，「那個老巫婆已經是過去式了。今年，我要所有的目光都聚焦在我身上。拿到電影獎含淚致詞的一定是我。」

「我可以保證，沒有人的目光能夠從你身上移開。這件禮服將名留青史，令人永生難忘。」

「誰知道甲蟲可以這麼漂亮呢？」露比誇張的朝天攤開雙手，「如果這件禮服的主人換成別人，我乾脆死了算了。」

「像你這麼有才華的女演員要穿我的作品去參加電影獎頒獎典禮，真是我的榮幸。」

「我的造型師說你是個天才，樂蒂霞——」

「盧克莉霞。」

「嗯哼，樂蒂霞，隨便啦，」露比說，仍然對自己在鏡中的映像讚嘆不已，「那時我還不相信她呢。我錯得多離譜啊？」

「你太客氣了。」盧克莉霞．卡特逐漸失去耐性，「不過，我得跟你說一聲，假如你想穿這件禮服出席頒獎典禮，就必須同意一些規則。」

「規則？」露比皺起眉頭，「什麼樣的規則？」

「你要到典禮那天早上才會再見到這件禮服，我的職員會來協助你更衣，然後用我的車載你去典禮會場。你可以向媒體透露你要穿卡特女裝的作品，但是絕對不能向任何人描述這件禮服。這是機密。」

「機密？我喜歡！」露比挑起眉毛後拍拍手，「等我跨出豪華禮車，踏上紅地毯時，將會驚豔全世界。太棒了！」她向盧克莉霞．卡特伸出手，「盧盧，我們成交了。」

「那麼這件禮服就是你的了。」盧克莉霞．卡特說，不理會女演員伸出的手。

「很好。」露比聳聳肩，再看鏡中的自己最後一眼，才蹦蹦跳跳的走到屏風後，過了一會兒把禮服交給傑拉德。她套上粉紅毛衣，重新穿上白色細高跟鞋，走了出來。「盧盧，很高興和你做生意。」露比停下來照鏡子檢查妝容。

「喔，不，是我的榮幸才對。」盧克莉霞．卡特指著門口，「傑拉德會送你出去。」

門在他們身後關上後，盧克莉霞．卡特轉向「白雪公主」，欣賞自己的作品。她把頭往後仰，從喉嚨深處發出可怕的喀噠聲。

禮服掛在打開的衣箱裡，微微閃光顫動，好像快要分解似的，然後突然如旋風般快速移動起來，數千隻特殊培育的白金龜從扣件飛出，群聚在盧克莉霞．卡特的頭部四周，有如閃亮的龍捲風。

盧克莉霞大笑起來。事情會進行得非常順利。

2 爺爺派

巴索勒繆．卡托博士把兩個盤子小心的放在麥西伯伯廚房的餐桌上，每個盤子上都堆滿了熱氣騰騰、淋上肉汁的羊絞肉、馬鈴薯泥、胡蘿蔔丁，和一堆豌豆。

「謝謝您，卡托博士。」柏托特．羅伯茲用禮貌的口吻尖聲說，將過大的眼鏡往鼻梁上推。

「這是我的榮幸，柏托特。」巴索勒繆．卡托在牛仔褲上擦了擦手，再回到廚房工作臺前，拿起另外兩個盤子。「我的廚藝不大好，不過這是我難得會煮的菜。這是由父親傳給兒子的家傳食譜。」

「嗯。」薇吉妮亞．華勒斯深吸一口食物的香味，伸手去拿餐具。柏托特快如閃電的拍一下她的手背。薇吉妮亞怒目瞪著他，不過還是把手放回膝蓋上。

「這基本上是牧羊人派的食材。」他把一盤食物放到達克斯前面，「只不過**不是**放在派裡面。」他輕聲一笑，在兒子旁邊坐下來。達克斯喜歡他爸爸笑的時候，藍眼睛周圍的皮膚皺起來的樣子，把快樂擴散到臉的邊緣。「小時候，我爸爸為我做這道菜，現在我做給兒子吃。」他慈愛的看了達克斯一眼，揉亂他那頭黑髮。「達克斯，你最愛吃這個，對吧？因為我爸爸的緣故，他把這道菜取名為『爺爺派』。」

「爸！」達克斯做了個鬼臉，不過感覺胸口暖暖的，嘴角忍不住上揚。才不過幾星期前，他全心全意祈求爸爸可以像這樣開玩笑，而現在心願成真了。麥西伯伯說，因為爸爸才剛出院，他們得小心別讓他太過勞累，不過他的身體一天比一天健壯。很快的，一切就會恢復正常，他們就可以回家了。

他看向桌子對面。他會想念每天見到柏托特和薇吉妮亞的日子。他們是他交過最好的朋友。

「大家盡情的吃吧。」他爸爸說。

「爺爺派？」薇吉妮亞噗嗤一聲，抓起叉子，把豌豆、羊肉和胡蘿蔔拌進馬鈴薯裡面，然後大口大口塞進嘴巴，好像一個星期沒吃東西了。

「這真是美味，卡托博士。」柏托特還沒吃就先說。

「拜託，柏托特，別再叫我博士了，叫我卡托先生就行了。或者，如果你喜歡的話，也可以叫我巴弟，其他人都這麼叫。」

「我不可能……」柏托特結結巴巴的說，蒼白的臉色突然漲紅。「我的意思是，您是自然歷史博物館的科學部主任，而且——」

「我們通常都叫你達克斯的爸爸。」薇吉妮亞插嘴說，她的嘴巴塞得滿滿的，棕色的臉頰鼓得像松鼠一樣。她將口中的食物吞嚥下去。「只有你在場的時候，柏托特才會怪裡怪氣的叫你博士。」

柏托特低頭盯著晚餐認真吃，好像那是需要解決的複雜謎題。他滿臉通紅，達克斯從那頭亂糟糟的白色捲髮間都看見他的頭皮了。

爸爸出院那天，柏托特頭一次見到他的時候還鞠了個躬。柏托特的爸爸不在，達克斯猜想，這位害羞的朋友希望能有個像這樣的爸爸。

「好啊，你們當然可以那樣叫我。我很自豪當達克斯的爸爸。」他注視著達克斯，表情突然變得認真。「畢竟，他救了我一命。」

「不好意思，」薇吉妮亞歪著頭抗議，「可別忘記我們都幫了忙。」

巴索勒繆．卡托哈哈大笑。「那是當然的，薇吉妮亞，我想你永遠不會讓我忘記這點，對吧？」

「沒錯。」薇吉妮亞搖搖頭，她的黑色髮辮飛了起來，色彩鮮豔的珠子撞得叮噹響。自從認識粗腿金花蟲馬文之後，她就開始編髮辮，因為馬文覺得辮子比較容易攀附。

他們默默吃著，達克斯逐漸意識到薇吉妮亞和柏托特在等他開口。

時機到了。他們已計劃好達克斯要說的內容，甚至排練過，可是此時他發覺自己說不出口。他塞了滿嘴的豌豆和馬鈴薯泥，不敢抬頭看，以免看到薇吉妮亞要他開口的神情。

薇吉妮亞拿起空盤，舔乾淨最後一滴肉汁，惹得柏托特大聲發出指責的嘖嘖聲。

就在這時，樓下傳來砰的一聲，接著是一陣匡啷的聲響。

「是教授！」薇吉妮亞說，意味深長的看著達克斯。

兩分鐘後，廚房門打開了，麥西伯伯跌跌撞撞的走進房間，滿臉笑容、友善的打招呼。

「麥西，你肚子餓的話，旁邊有晚餐。」巴索勒繆．卡托對他哥哥說。

「好極了！」麥西伯伯走到爐盤邊，拍了拍手。「爺爺派！」他開心的大聲說，從頭頂上的櫥櫃拿出餐盤，將每個鍋子裡的食物全倒到盤子上。「我好幾百年沒吃到這個了。」

薇吉妮亞發現沒辦法再來一盤了，臉色一沉。

麥西伯伯脫下探險帽，拉過一把椅子。「怎樣？」他拿起叉子，看著達克斯。「你告訴他了嗎？」他轉頭看向弟弟。「不可思議，對吧？要不是親眼看到，我也不會相信。」

巴索勒繆．卡托皺了皺眉。「相信什麼？」

麥西伯伯發出嗆到的聲音，達克斯忽然發現所有人都盯著他看。

「達克斯？」他爸爸一臉困惑，「什麼東西不可思議？」

就是現在，這正是他一直在等待的時刻。可是為什麼他這麼緊張不安呢？

達克斯站了起來，椅子刮過地板發出刺耳的聲音。「我要給你看一樣東西。」

爸爸看向麥西伯伯，麥西伯伯熱忱的點點頭。「你一定會喜歡的。」他說著拿起探險帽，迅速戴回頭上，一面將爺爺派塞得滿嘴。

「好吧，那你們最好給我看看是什麼。我非常好奇。」

薇吉妮亞和柏托特跳起來，跟著達克斯走出廚房，互相使個眼色。

「我們得到外面去，」達克斯回頭看著他爸爸說，「然後爬下一座梯子。你的身體已經恢復到可以爬梯子了嗎？」

「我想我應付得了爬梯子。」爸爸點了點頭。

「那座梯子很高呢。」

「我沒問題的，達克斯，真的。」

達克斯帶領他們離開麥西伯伯的公寓，走到街上。時間剛過晚上六點，十二月的夜幕已經降臨，街燈都亮了。自助洗衣店開著，佩托先生報刊店的燈仍亮著，不過步行街上其他的商店，像是健康食品店「母親地球」和紋身店，都一片漆黑。

達克斯想起他們擊敗盧克莉霞．卡特的那天早上，他飛身撲向爸爸，把他推倒在地，救他一命時，子彈射穿自己肩膀的槍聲。對於那次救援行動，爸爸只記得這件事。麥西伯伯認為在他爸爸康復前，最好別告訴他下水道裡有座甲蟲山，以及甲蟲在救援行動中扮演的角色。

但事實證明這祕密很難守住。爸爸一直問他們如何把他從陶靈大宅救出來，每一次，麥西伯伯會輕輕點一下鼻子，對達克斯眨個眼，然後回答：「別急，巴弟。事情實在太容易了，我和達克斯不想讓你覺得丟臉。」

最麻煩的是必須將巴克斯特藏起來。這隻兜蟲不得不躲回地下的甲蟲山。達克斯討厭和這個朋友分開，他想念有隻黑色大甲蟲停在肩膀上的時光。他時常對自己的鎖骨說話，以為巴克斯特會趴在那裡聆聽，等說到一半想起自己只有一個人時才打住。他盼望著能夠向爸爸介紹巴克斯特的時刻，告訴爸爸他和柏托特、薇吉妮亞如何拯救甲蟲山，並且將他從盧克莉霞・卡特手中解救出來的驚人故事。

現在，那一刻到來了。

爸爸走到達克斯背後站著，面對大賣場的廢墟。店門用螺絲重新固定住，上面釘著一片畫了塗鴉的波狀鐵皮。一條條封鎖線用粗體印著「小心」和「警戒線嚴禁穿越」。一個畫了大大驚嘆號的黃色三角牌警告大家這是危樓。

達克斯走到門口，拉了拉繫在脖子上的皮革鞋帶，拿出鑰匙。

「你要幹什麼？」爸爸不安的迅速瞄向麥西伯伯。

「不要緊的。」達克斯邊說邊打開門，「我們平常不走這條路，不過這裡很安全。」

麥西伯伯笑瞇瞇的對弟弟點了點頭。

達克斯牽著爸爸的手，帶他走進大賣場。「來吧，待會你就知道了。」

3 甲蟲舞會

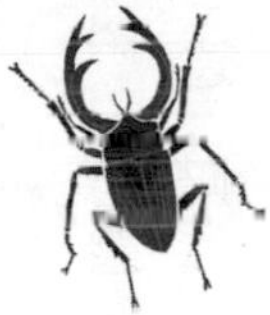

達克斯帶領大家小心翼翼的走過一大堆瓦礫磚屑，穿梭在倒塌的樓板和過梁之間，然後經過拱門，進入商店後面的小廚房，那裡的天花板仍完好無缺。廚房內覆蓋了一層碎玻璃和灰泥屑，一件舊碎花圍裙吊在櫥櫃的門外。

達克斯拉著爸爸走向另一邊窄小的廁所，地板中間有個打開的人孔。薇吉妮亞爬進洞裡，柏托特跟著下去。

「我下一個，好嗎？」麥西伯伯看著達克斯，達克斯點點頭。「好嘍。我們在下面見。」他爬了下去，最後從視線消失的是他的探險帽。

「磚牆上有道金屬梯。」達克斯解釋。

「你想給我看的東西。」他爸爸疑惑的看著他，「在那下面？」

達克斯點頭。「走吧。我會跟在你後面。」他在爸爸爬上梯子後露出微笑，「相信我，你一定會喜歡的。」

達克斯爬到人孔邊緣，脖子後面感到一陣興奮的刺痛。他的腳知道哪裡可以踩到梯子。往下進入下水道黑暗、潮溼的空氣中時，他聽見麥西伯伯的聲音。

「巴弟，我要把你的眼睛遮起來。」

「我已經幾乎什麼都看不見了。」達克斯的爸爸埋怨。

「就快到了。」

達克斯跳到地上，順著白色小徑，在爸爸與麥西伯伯身邊快速奔跑，踏進「人類區」——地上畫著一塊大小如乒乓球桌的白色長方形，長方形區塊裡面有三張汽車座椅和一張咖啡桌。白色小徑和長方形區塊是孩子活動的區域，甲蟲知道牠們必須遠離這片地面，以免被不小心踩扁。

咖啡桌上，搖曳不定的油燈使得整個穴室暗影幢幢，薇吉妮亞和柏托特在油燈旁等著。達克斯感覺手臂興奮得顫動，心跳加速。

麥西伯伯帶領爸爸走到較大的那張汽車座椅前。「好了，把手伸出來。到了。摸到了嗎？那是椅背。現在坐下來。哎呀，左邊一點，對了！好極了。」他看向達克斯，兩手仍蒙住巴弟的眼睛。

達克斯站到薇吉妮亞和柏托特之間，大家都背對著甲蟲山。他點個頭，麥西伯伯把手從弟弟的臉上拿開。

巴索勒繆．卡托眨眨眼睛，環視黑暗的洞穴。「我不懂……」

「我要給你看樣東西。」達克斯說，血液在耳朵裡怦怦作響。「你想知道我怎麼把你帶出陶靈大宅，不是嗎？就是用這個方法。」他抬起下巴，從臼齒吸進空氣，發出高亢尖銳的聲音。黑暗中傳來拍打翅膀的聲音，一隻巨大的黑色兜蟲——在陰暗的穴室中幾乎看不見牠——停在達克斯的肩上，用後腿站立起來，向達克斯的爸爸揮動前腿。

「這是我的朋友，巴克斯特，」達克斯說，「牠幫忙我把你救出來。」

「這是高卡薩斯南洋大兜蟲。」他爸爸傾身向前，睜大眼睛低聲說。

「這是馬文。」薇吉妮亞說，一團捲繞在她辮子尾端的櫻桃紅色金屬小球逐漸展開，露出粗腿金花蟲的真面目。甲蟲頭下腳上的倒掛了一會兒，然後落到薇吉妮亞的肩上。

「這位，」柏托特說，他那頭蘑菇似的白色頭髮亮了起來，「是牛頓。」一隻高爾夫球大小的螢火蟲升到他頭上，腹部發著光。

「還有這些，」達克斯把兩

條手臂大大張開，發出一連串有節奏的喀噠聲，「是所有解救了你的甲蟲。」

他背後安靜無聲的小山突然爆發出光亮，幾百隻螢火蟲的發光器閃閃發亮，出現在眼前。在像山洞的穴室屋頂上，螢火蟲打開腹部的燈籠，光線如漣漪一般在天花板上蕩漾，就像是極光。

薇吉妮亞一面跺腳，一面用雙手有節奏的拍打身體兩側，節奏聲越來越響亮；這時，一聲像是管弦樂團弦樂分部的尖銳高音回應了她。一個怪異的音分裂成兩個，再變成三個和諧的音群。馬文像個迷你指揮家，牠用粗壯的後腿站起來，指向隱形的打擊分部——牠們正在倒蓋的茶杯上敲打出旋律。一群糞金龜把事先準備好的糞球從甲蟲山後面一個接一個推進大水坑裡，配合節拍弄出撲通撲通的聲響。昆蟲管弦樂團演奏出隱約可以辨認出來的曲調，薇吉妮亞的肩膀和著奇怪的音樂上下擺動。

「這是……」巴索勒繆．卡托驚訝的看著他哥哥，「牠們是在演奏馬文．蓋伊的《小道消息》嗎？」

麥西伯伯咧嘴笑著點點頭，一面隨著甲蟲音樂拍手擺頭，同時，一大群黑白雙色的花蚤表演後空翻跳下茶杯山，還有一串紅黑色的長頸象鼻蟲繞著山腳大跳康加舞。

螢火蟲群聚在一起，組成一顆超大的玻璃鏡球。成對的長戟大兜蟲與兜蟲從甲蟲山中央長出的大葉醉魚草枝幹上跳下來，牠們把犄角連接在一起，繞著圈子原地升起；接著一群美麗的瓢蟲飛起，抓住兜蟲和長戟大兜蟲懸空的腿部，有如一條條紅絲帶，在甲蟲旋轉時飄蕩起伏。

巴索勒繆・卡托看得目瞪口呆。一隊吉丁蟲昂首闊步爬出茶杯，擺動、炫耀著漂亮的鮮綠翅鞘，牠們抓住一條瓢蟲組成的絲帶懸掛起來，從一雙懸浮的前腿翻筋斗跳到另一雙腿，色彩斑斕的翅膀反射著螢火蟲的光芒。

當音樂越來越響亮，到達最高點的時候，達克斯打出信號，大批飛行的甲蟲從茶杯山蜂湧而出，用爪子抓住他的衣服，慢慢把他抬離地面，直到他在爸爸頭上一公尺處盤旋。「爸，把你搬出陶靈大宅的就是這些甲蟲！」他大聲說，「就像這樣子！牠們救了你。」

巴克斯特快速飛向巴索勒繆・卡托，在他面前的空中飛舞，配合著音樂擺動前腿。

「不！」巴索勒繆・卡托突然站起來，揮舞手臂。「停下來！馬上停下來！」他把兜蟲打到地上。

「巴克斯特！」達克斯大喊。

將他抬在半空中的甲蟲被弄糊塗了，昆蟲音樂變成令人恐慌的刺耳音調，受到驚嚇的螢火蟲四處散開，頭昏眼花的旋轉甲蟲退回到茶杯山裡。達克斯發現自己被扔到地板上。他急忙爬到甲蟲朋友的身邊，用兩手捧起牠，小心翼翼的抱在胸前。

「巴克斯特，你沒事吧？」他低聲問。

兜蟲點一點犄角。

「你為什麼那麼做？」達克斯生氣的對爸爸大吼，「你有可能傷到牠耶！」

巴索勒繆．卡托突然將矛頭指向他哥哥，激動得睜大眼睛。「你幹了什麼好事？」

「不是我，巴弟，」麥西伯伯說，伸手輕輕放在弟弟的肩上。「這不是我的傑作，是你的。這些甲蟲是**你的**實驗，**你的**研究，**你的**成果。」

「不是！」

「如果你亂動生物的構造，你認為自己可以決定牠要怎麼進化嗎？」麥西伯伯輕輕拍了拍他弟弟。「事實上，我覺得你做得很好。」

「不。」巴索勒繆．卡托蹣跚的往後退，不斷搖頭。「我從來沒達成像這樣的結果。看看牠們！牠們會跳舞！牠們有認知能力！」他搖著頭指向甲蟲山，驚訝的睜大眼睛。

「這……這很危險。我們必須除掉這座山。」

「爸！不行！」達克斯大叫，「這些甲蟲救了你一命啊！牠們也救了我！」他將巴克斯特緊緊抱在胸口。「牠們是我的朋友！」

薇吉妮亞和柏托特趕忙走到達克斯身旁，扶他站起來。

「你不了解，」達克斯哀求，「這些甲蟲很神奇。牠們非常特別。花點時間跟牠們相處，你就會明白的。」

「不，兒子，不明白的是**你**。」巴索勒繆．卡托說，「這不會有什麼好結果。」

「我以為你喜歡甲蟲！」達克斯大喊。

巴索勒繆・卡托博士凝視著兒子，挺直肩膀，抬起額頭。「達克斯，這些不是甲蟲，是盧克莉霞・卡特創造出來的怪物。」

4 基地營的憂鬱

「救他的人是我，現在他卻要我假裝什麼事都沒發生過！」達克斯踢了沙發一腳，但馬上就後悔了，因為腳趾火辣辣的發疼。他抓著腳，倒在橄欖綠的靠枕上，小心的避免把肩膀上的巴克斯特給撞下去。「他把我當成小孩子看待。」他再補上一句，悶悶不樂的瞪著基地營的防水布天花板，現在這裡是他們的小窩。

「他是想要保護你，達克斯。」柏托特從工作臺前平靜的說。他趁等候薇吉妮亞到來的時候，將大鋼夾用螺絲固定到金屬桿上，要做一根掐人棒。牛頓在他蓬蓬的白髮上面快樂的跳上跳下，發光的腹部忽明忽暗。「而且你的確是小孩子。」

「我不需要保護。」達克斯坐直身體，「我可沒有害自己被綁架，是吧？」

「是沒有，不過你確實挨了一槍。」柏托特提醒他，從超大眼鏡上方看向達克斯包著繃帶的肩膀。

「那只是皮肉傷而已，我現在沒事了。你看。」達克斯用力拍一下繃帶，瞬間一陣比抽痛的腳趾更劇烈的疼痛傳來，他不由得倒抽一口氣。

「對啦，你沒事。我看得出來。」柏托特嘆氣，「你不應該生他的氣。他只是想當個好爸爸。」

「我知道。」達克斯用手掌揉一揉兩邊的太陽穴。他的頭好痛，擔心得胃打結。

自從他們給爸爸看了甲蟲後，他的行為一直很古怪，而且盧克莉霞．卡特仍在某處虎視眈眈。夜裡，他做夢時，聽到她變成爪子的腳發出刮擦聲，追在他身後，把他逼進充滿雙向鏡和憤怒的鍬形蟲的黑暗惡夢中。

「這一切都跟我想的不一樣。」他說著拿起肩膀上的巴克斯特，搔一搔固定槍傷敷料的繃帶。繃帶在他軀幹上繞了好幾圈，擠在胳肢窩下，弄得他很不舒服。他把兜蟲放在膝蓋上，輕輕撫摸牠的下巴。「你真該看看我爸瞪著巴克斯特的表情，一副想拿牠做實驗的樣子。」

「他不會啦。」柏托特放下螺絲起子。

「對啊，我也認為不會。」達克斯搖搖頭，「不過昨天我們從下水道回來後，他在麥西伯伯的臥房裡安裝了一臺顯微鏡。從他的臉色看來，他一整晚沒睡。而且今天早上，」達克斯停頓了一下，「他刮掉了鬍子！我從小到大，從來沒看過我爸沒留鬍子。他看起來……嗯，一點也不像我爸。他現在變得好瘦，又少了鬍子，簡直像個陌生人一樣。」

「他經歷了很多事情嘛，」柏托特說，「你們兩個都是。」

「對呀，」達克斯嘆了口氣，「可是他不肯跟我談談。」

「那麥西伯伯呢？」

「他表現得好像一切都很美好，所以我才知道情況肯定不妙。他也在擔心。昨晚他們以為我睡著了以後，我聽見他們在吵架。」達克斯搖搖頭，「今天早上，我想跟爸爸談談，可是他不斷岔開話題，問我學校的事，還有——你聽好——女生的事！」

「女生的事！」柏托特大笑。

「他問我覺不覺得薇吉妮亞很漂亮！」達克斯無法掩飾怒氣，「什麼跟什麼啊！」

「她是很漂亮沒錯。」

達克斯感覺自己的臉漲成紫紅色。「我不是那個意思。柏托特，發生了很嚴重的事——跟盧克莉霞．卡特有關——但是我爸不讓我幫忙。我們不知道她的下一步是什麼。」

「也許她什麼打算也沒有。」柏托特抱著希望說，「畢竟她是個時裝設計師啊。」

「她才不只是個時裝設計師呢，你明明很清楚。」達克斯咬牙切齒的說，「她要不是有什麼盤算，當初幹麼綁架我爸？」

「冷靜一點，達克斯。我們救回了你爸爸，不是嗎？而且甲蟲很安全，沒有人知道牠們躲在下水道裡。不會有事的啦。」

「你不明白。我以為爸爸回來後，一切就會恢復正常，可是並沒有。我以為他會很喜歡這些甲蟲，他卻討厭牠們。」

柏托特對他眨眨眼。「沒事的，你有一個好爸爸。」

「他跟以前不一樣了。」達克斯努力想著該怎麼說。「自從我們帶他去看甲蟲山之後他就變了。他一直有種好像在想什麼事情的眼神。跟我媽過世的時候一樣。就算我走進屋裡，他也沒注意到我在那裡。即使我就站在他面前也是。」他低下頭，聲音顫抖。「我以為我找回他了，可是並沒有。」他打了沙發靠枕一拳。「而且他要我保證絕不接近盧克莉霞．卡特，不要跟她有任何瓜葛。你知道嗎？人家問他失蹤的這幾個星期跑去哪裡時，他**撒了謊**。他說他在做研究。他也對我說謊。他知道盧克莉霞．卡特在搞什麼鬼，可是他不肯告訴我。」

「你怎麼能確定呢？」柏托特輕聲說。

「我**就是**確定。」達克斯轉開眼神，「我很確定，就像我知道我媽已經死了。」他再打靠枕一拳。

基地營門外傳來響亮的匡啷聲，接著薇吉妮亞衝了進來。

「下雪了！」她說，褐色眼睛閃閃發亮。「出來外面看吧。」

「真的嗎？」柏托特轉過去看她，「這可是今年冬天的第一場雪耶。」

「我知道啊！剛好趕上耶誕節！快點來吧。」薇吉妮亞轉身跑回門外。柏托特看著達克斯，一臉擔憂。

「我沒事。」達克斯說。

柏托特指向門。「你要去嗎？」

「開什麼玩笑？我當然要去啊。」達克斯勉強朝他朋友笑了笑，「下雪了耶！」

柏托特鬆了一口氣，露出笑容，跟著薇吉妮亞走出門外。

達克斯拿起膝上的巴克斯特，站了起來。他把甲蟲拿到臉頰邊，頭輕輕靠向甲蟲。「我絕不會讓人傷害你的，巴克斯特。」他輕聲說著，並抬起手來，好正視甲蟲的眼睛。「我也不會讓爸爸將我們分開。絕對不會。」

巴克斯特用犄角尖端輕輕磨蹭達克斯的鼻子。

達克斯把手挪到鎖骨上，等待兜蟲爬上肩膀，然後一起走出基地營。

他們爬過院子裡錯綜複雜的狹窄通道，這是由不值錢的舊家具所堆出來的。用束線帶綁在一起的腳踏車組成了一座大拱門，由此分出幾條通道，路標寫著象鼻蟲路、敲敲擬步行蟲通道以及糞球大道。達克斯匆匆忙忙跑進象鼻蟲路，為了不去觸動到柏托特的陷阱，他小心的蹲低著身體奔跑，最後從折疊桌下面衝出去，看到薇吉妮亞把兩手舉得高高的，繞著圈子跳來跳去，試圖抓住從蘑菇色天空飄下來的大朵大朵的雪花。

柏托特伸出舌頭接到一朵雪花，雪花立即融化了。牛頓閃避不停落下的雪花，躲進他的頭髮裡。

「等雪下得夠多，可以捏雪球的時候，你就死定了。」薇吉妮亞朝他咧開嘴笑。

「我丟得可是相當準呢！」達克斯苦笑著回答。

「才不呢，」薇吉妮亞搖了搖頭，「你輸定了。就算你跟柏托特一國，我也會在幾分鐘內就讓你們兩個跪地求饒。」

「嘿！」柏托特不是很認真的抗議。

她拉起外套袖子，轉動手臂，展現她扔雪球的厲害。達克斯開懷大笑。下著雪的時候，是沒辦法生氣的——因為雪會讓堅硬的表面變得柔軟，掩蓋住問題，把世界變成一座大型遊樂場。

5 反常態

諾娃坐在粉紅棉花糖似的床鋪邊緣，不安的晃著兩條腿。她凝視著門邊堆得高高的箱子和旅行箱，希望和焦慮讓她的五臟六腑好像翻攪在一起。離開陶靈大宅感覺好奇怪。她一直都住在這裡，可是今天她要到哥本哈根的私立學校去了。她從來沒有上過學，希望那裡的女生會喜歡她。

她穿了一身最時髦的旅行行頭：粉紅棉花糖色的連身裙和同色的開襟短外套，再搭上白色厚褲襪和芭蕾平底鞋。獵椿咬傷的疤痕逐漸淡去，不過她還是想把身體遮起來。她曉得自己跟其他女生不一樣，她不希望別人看見叮咬的痕跡，問些棘手的問題。正常的母親不會把女兒關在牢房裡，派獵椿進去傷害她。

瑪泰沒想到諾娃幫助達克斯拯救他爸爸，不過還是嚴厲懲罰她在毛陵看守牢房時讓他分心。瑪泰把她丟在牢房裡整整一星期，還放出獵椿喝她的血。最初的幾個小時，她還可以撥掉那些蟲子，但是後來諾娃站起來開始跳舞。她滿腦子想著芭蕾舞劇《吉賽爾》裡的音樂——那故事是講述一個農家女愛上了不忠的王子——並跳出劇中所有的舞步。跳舞讓蟲子比較不容易爬到她身上。她在跳躍和旋轉時踩死了數不清的蟲子，可是最後她沒有力氣再跳下去了，跪倒在地。蟲子每咬一口都很痛。牠們的數量好多。她想像達克斯跪在她身邊，握住她的手，叫她要勇敢一點。瑪泰是他的敵人，現在也是諾娃的敵人了。

敲門聲讓她從胡思亂想中驚醒。一定是車來了。她跳了起來。

「小姐。」傑拉德站在她的臥房門口，「您母親想見您。」

諾娃驚訝的眨眨眼。「我需要一點時間。」

傑拉德點點頭後低下頭。「您得快點去她房間。我會在外頭等候。」

自從瑪泰命令柯雷文把她扔進牢房之後，諾娃就沒再見過她了。她是想說再見嗎？諾娃輕輕拿下將銀金色長髮固定在後面的髮箍，上面有朵粉灰色的絲綢玫瑰，戴起髮箍時就在她的頭部側邊，看上去很美。有隻吉丁蟲窩在飾花裡面，幾乎看不見，牠的身體微微散發出彩虹色的光芒。

「赫本，你不可以跟我一起去。太危險了！」諾娃低聲說，「不能去瑪泰的房間。」

漂亮的吉丁蟲氣憤的抖動觸鬚，爬出絲綢飾花。

「我知道，我知道，不過我很快就會回來，然後我和你就要離開這裡——永遠不回來了。」諾娃用小指頭輕輕撫摸赫本的胸部，「我會把你放進包包裡。」

她打開粉紅色的皮革肩背包，裡頭已經裝好去哥本哈根旅途中要用的東西。她小心翼翼將髮箍夾在兩本書之間，以免赫本躲藏的地方被壓扁。「你在這裡面很安全。」她拋給甲蟲一記飛吻，闔上包包。「我準備好了。」她大聲說，打開臥室門。

傑拉德踩著慎重的步伐，大步走在她前面。走到走廊半途的時候，他停下腳步轉過頭來。「小姐離開這裡是件好事。」他猶豫了一會兒，嚥下口水。「我沒辦法保護您。」

諾娃握住他戴著白手套的手，緊捏了一下。他們牽著手默默的順著走廊往前走，一路走下樓梯。走到三樓時，傑拉德放開手。

「Sois courageuse（勇敢一點）。」傑拉德低聲說，然後敲了敲門。

「進來。」盧克莉霞．卡特大聲說。

諾娃命令自己的心臟跳慢一點、規律一點，再掛上毫無表情的面具，然後才推開門。

瑪泰坐在梳妝臺前，背對著門。她的臥室天花板像大教堂那麼高，由許多拱頂構建而成，而且設計師運用了深淺不一的黑色：黑牆，黑門，黑玻璃，黑蕾絲……所有的東西都鑲著金邊。諾娃向來覺得這些房間很可怕，但是最令她不安的是隱約浮現、飄散不去的梨形糖果味，還是腐爛的香蕉味？

她走進房裡。「瑪泰，早安。」她蹲下身子行屈膝禮，眼睛緊盯著黑色地板。坐在黑檀木椅子上的盧克莉霞．卡特緩慢的轉身，諾娃硬著頭皮接受母親挑剔的眼光。

她穿著一身及地的黑色袍子，上頭有金色刺繡搭配她的脣色，黑色短假髮的瀏海輕觸她的招牌墨鏡上緣。

「你找我？」諾娃的目光仍盯著地板。

「喔，沒錯。我是要找你。」

一陣漫長的沉默，她母親在仔細查看她，諾娃的兩手開始顫抖。「我今天要出發去學校了。」她開口說話，打破沉默。

瑪泰轉回去面向梳妝臺的鏡子。「不，你不去了。」

「什麼？」諾娃猛然抬起頭來，看見母親正在凝視鏡中的她，心臟頓時狂跳起來。

「我改變主意了。」

「可是我已經收拾好行李，我……」

「我要關閉這間屋子。再過幾天我們就要飛去洛杉磯了。」

「洛杉磯？」

「對，我得要準備電影獎的事情。」

「電影獎？」諾娃結結巴巴的說，「可是你不是不喜歡頒獎典禮……」

「我會非常喜歡這次的典禮。」她的嘴角扭曲，浮現一抹微笑。「而且你獲得了提名。」

「我？」諾娃驚訝得闔不上嘴。

「對，入圍最佳女主角獎。」她大笑，「是不是很可笑？」

「最佳女主角？」諾娃不敢相信自己聽到的話。獲得電影獎是她的夢想。只有真正傑出的女演員才能獲得電影獎。

諾娃感覺頸背有一陣冷風吹過，突然間，玲玲出現了，站在她旁邊。

「啊，玲玲，有什麼消息要告訴我嗎？」

玲玲沒回答，卻意有所指的看向諾娃。

「你走吧。」盧克莉霞．卡特揮手趕諾娃出去，那隻手上戴了許多鑲滿鑽石的戒指，沉甸甸的。

「是的，瑪泰。」諾娃再行一次屈膝禮，退了出去。

她在外面站了一會兒，想弄清楚剛才發生的事。她母親非常討厭頒獎典禮，從來沒有出席過，就連她自己得獎時也不曾，那為什麼這次諾娃獲得提名，她會想去參加這場全世界最盛大的頒獎典禮呢？

想想看要是我得獎了。諾娃在腦中想著，一股興奮之情讓她的心漲得滿滿的，胸口似乎有上千隻閃爍的螢火蟲飛來飛去。她呼出一口氣，把頭靠在門上，希望能多聽到一點電影獎的消息。

「那兩個惹人厭的表兄弟，也就是大賣場的老闆，有什麼消息嗎？」她聽見瑪泰問玲玲。

「亨弗利・甘寶和皮克林・里斯克還在監獄裡，可是沒有證據證明他們開槍射傷達克斯・卡托，警方最終還是得釋放他們。」

諾娃渾身發冷，手臂上冒起了雞皮疙瘩。**達克斯中槍了？**

「別管那兩個白痴了。他們真是蠢到極點，構成不了什麼威脅。」她大笑，然後停頓一會兒後，嘆口氣。「要是那男孩沒跳到他爸爸前面，就不會有這麼多麻煩事了。害我根本沒辦法再待在倫敦。就在我以為已經收買了所有人的時候，居然又出現了新的目擊者。我不能冒險引起媒體注意。我開槍不是想殺掉巴索勒繆・卡托，只是想讓他無法行動。我應該讓你動手的。你處理了那個討厭的記者嗎？」

「很好。」

「愛瑪・蘭姆不會再報導新聞了，」玲玲回答，「現在沒有人會僱用她了。」

諾娃悄悄往後退，離開門邊，然後跑到走廊盡頭。傑拉德在樓梯旁邊等著。

「小姐，車子來了。」

「我不去了，」諾娃喘著氣說，「她改變主意了。」

她兩步併作一步的跑上樓。她的心碎了。她在這世上唯一的朋友中了槍，還是她自己母親動的手。達克斯死了。

6 遷徙的囚犯

亨弗利．甘寶仰躺在雙層床上。他瞪著上方灰色的泡棉床墊，注視金屬絲床架切割出的一塊塊菱形，努力忽視他表哥沒完沒了的碎碎念。他從眼角餘光看見一隻鼠婦沿著刷白的牆壁慢慢走向他胖乎乎的手肘。他用拇指和食指捏住鼠婦，丟進嘴裡。牢裡的伙食根本不夠他吃。

鼠婦不大好吃。他一邊用門牙嚼著那團小球一邊心想。甲蟲還好吃點。肉比較多。

皮克林仍在上鋪嘰哩咕嚕的說個不停。

「矮胖子，最大的問題是，我們首先要做什麼？」

「我告訴過你不要那樣叫我！」亨弗利咆哮著說。

皮克林發出像鴨子叫的笑聲，還噴出口水。

他探出蠟黃色的頭看向下鋪。「你認為我們出獄以後應該怎麼做？」他蓬亂的眉毛挑得老高，老鼠似的黃牙從半開的嘴巴突出來，尖銳的下巴長滿花白的鬍渣，稀疏粗硬的頭髮下垂，好像脫線的繩子。

「隨便啦。」亨弗利咕噥著說，翻身面向牆壁，避開皮克林充血的眼睛。

「我可是在問**你**啊，」皮克林鍥而不捨的說，「拜託，矮胖子，我們現在是一夥的。我們應該先去找那個小子嗎？還是去拜訪盧克莉霞．卡特？她還欠我們五十萬英鎊，記得嗎？」他用皮包骨的手指戳一下亨弗利的背。「我們把甲蟲給了她，那些可惡的小蟲反擊又不是我們的錯。」

「他們一放我出獄，我就要去土耳其烤肉店。」亨弗利揉了揉空空的肚子，「然後我要去找那小子，把他揍到地裡去。」

「好極了！我們先去抓那小子！」皮克林尖叫著興奮的拍手，接著又停下來。「不過等一下，你要拿什麼來買土耳其烤肉？」他搖搖頭。「不行，我們得先去拜訪盧克莉霞．卡特，拿到按理屬於我們的東西。一旦我們拿到錢，你就可以有一整個浴缸的土耳其烤肉了！」

亨弗利哼了一聲，不過點點頭。他覺得表哥說的有道理，而且他當然喜歡把浴缸裝滿土耳其烤肉的主意。

「到那時候，」皮克林揮舞雙手，「**我們就殺了那小子！**」

「噓！」亨弗利發出噓聲。「要是他們知道我們出獄的第一件事就是去殺個孩子，絕對不會放我們出去的。」

「嗯，沒錯！」皮克林輕聲說，「我們必須保密，矮胖子。噓！」他咯咯傻笑。

亨弗利搖了搖頭。當他們在大賣場樓上的家倒塌，變成一堆瓦礫後，皮克林就有點不對勁，彷彿他腦中緊密捲繞的彈簧扭曲過了頭，現在彈開來，往無法預測的方向亂跳。皮克林以前樣樣事物都很在意……比方說他的外表。他非常注意整潔，指甲和鼻毛總是修剪得乾乾淨淨。可是自從甲蟲對他發射糞便砲彈後，他就不再盥洗了。他以前看重的一切，比方說他寶貝的古董和那間店，現在全部消失了，只剩下三樣東西讓他感興趣：錢、那小子，和盧克莉霞．卡特。他迷戀那位提議要買甲蟲的億萬女富翁，而且在遭到拒絕後似乎反而越陷越深。他用手帕——相當於他的安心小毛毯——打結，把手帕弄得像個娃娃；夜裡，當他以為亨弗利睡著的時候，他就會叫手帕娃娃盧克莉霞，還親吻娃娃。

亨弗利反覆回想導致他和皮克林被逮捕的事件，卻始終摸不著頭腦。有人在他屋裡放置了炸彈，還開槍射了達克斯．卡托那孩子。他們被指控了這兩項罪名，但是兩人都沒有槍，更沒有理由炸掉自己的家。

對於可能會遭終身監禁，亨弗利非常不滿。他不介意待在這個地方。這裡很乾淨，比他的臥房還要乾淨多了，而且他也從沒有過奢侈的生活。監獄裡的人跟外頭的人沒什麼差別。亨弗利相信，只要有機會，每個人都會搶劫——至少他曉得自己肯定會那麼做。監獄讓他心煩的主要是食物，或者說嚴重不足的食物。他想念淋上蔓越莓醬的肉派。吃了一個月的監獄食物，他鬆垮的肚腩大幅縮水，皮膚從骨頭上垂下來，宛如融化的蠟。他得小心照顧痛個不停的肚子，而他的肚子越痛，殺意就越濃。

聽見接近的腳步聲，他轉向牢房中裝了鐵柵的牆壁。皮克林飛快坐起來，毛茸茸的雙腳垂到亨弗利面前搖晃。他**真的**得修剪一下腳趾甲了。

一名戴著鴨舌帽、穿制服的獄警，帶了一大串鑰匙，站在鐵柵的另一邊。

「兩位，今天是你們的幸運日。看來女王陛下的監獄系統不想再供你們住了。」

「什麼？」皮克林跳到地上，興奮得語無倫次。

「我們可以走了？」亨弗利滾到地板上，跪坐起來。

「看起來是這樣沒錯。」獄警回答。

「我不懂。」亨弗利皺了皺眉。

「對你們的指控已經撤銷了，因為證據不足。離開時，你們可以領取你們的衣服和財物。請跟我來。」

「可是……」亨弗利費力站起來，感到十分驚訝。皮克林已經手舞足蹈的跟在獄警後面走出牢房門。亨弗利緩慢笨重的走在他們後面，他的肚子像頭憤怒的獅子在咆哮，因為他意識到終於可以吃頓像樣的飯了。

皮克林往後退，伸出瘦得像竹竿的手臂，勾住亨弗利的手。「先拿到錢，」他使個眼色小聲說，「之後我們再去抓那個討厭的小鬼。」

亨弗利堅定的默默點個頭。等塡飽了肚子，他會好好享受把那小鬼大卸八塊的樂趣。

7 史賓賽·克里普斯出了什麼事？

埃賽雷德國王中學像昏昏欲睡的蜂巢一樣嗡嗡作響。叮噹的鐘聲響起後，校舍突然冒出人群，穿著黑紫雙色制服的學生快速衝出門外，宛如憤怒的大黃蜂。達克斯在正門旁邊等待薇吉妮亞和柏托特。

「你現在要怎麼做？」三人一起沿著馬路離開學校時，薇吉妮亞問道。

「不知道。」達克斯聳了聳肩，「我爸在家，他行為很奇怪。我昨天撞見他從大賣場走出來，拿著一罐甲蟲樣本。」

柏托特突然停下來，露出擔憂的表情。「他不會傷害牠們吧？」

「不會啦。」達克斯搖搖頭，「從小到大，他都教我不可以殺死或傷害生物。我想他是在研究牠們。他桌上的書堆得高高的，只有去上廁所的時候才會走出房間。」

「他在那裡面幹什麼呢？」薇吉妮亞好奇。

「我猜他是想弄清楚盧克莉霞·卡特對那些甲蟲做了什麼，」達克斯說，「我努力告訴他我了解那些甲蟲，而且曾經進入陶靈大宅，可以幫上忙，可是他說我既不客觀又不科學。」

「科學！」薇吉妮亞嗤之以鼻，「那到底是什麼意思啊？」

柏托特開口回答。「我想他的意思是——」

「好了啦，愛因斯坦，」薇吉妮亞兩手插腰，把頭歪向一邊，做出絕望的模樣。「我知道他是什麼意思。我只是覺得……」她的表情突然僵住。

「什麼？」柏托特皺起眉頭，「怎麼了？」

薇吉妮亞直視柏托特的眼睛，表情極為嚴肅，無聲的用嘴形說出：**別動！**她跳向柏托特，抓住他的肩膀。柏托特痛得大叫，不過保持靜止不動，看起來嚇壞了。

「怎麼了？怎麼了？」

「達克斯！」薇吉妮亞大喊，「給我一個盒子或是容器，什麼都好！**快點！**」

達克斯慌張的摸找口袋，掏出一個裝薄荷糖的透明塑膠盒，底部還剩幾顆色彩鮮豔的糖果。

「打開蓋子，」薇吉妮亞下指令，她把雙手弓成杯狀合在一起，小心翼翼的從柏托特身上拿開。「清空裡面的東西。」

達克斯迅速照她的吩咐去做，然後遞出空的容器。

「哇！這東西發了瘋似的想逃走。」薇吉妮亞說，視線一刻也沒有離開合著的雙手。「哎喲！牠咬我！」

「什麼東西咬你？」柏托特問。

「瓢蟲。」

柏托特非常驚訝。「瓢蟲不會咬人啊。」

「呃，這隻就會。」

「事實上，有些瓢蟲是同類相食的。」達克斯說。

「同類相食？」柏托特的眉毛挑了起來，「牠們互相吃掉對方？」

「達克斯，我要在兩根手指之間打開一條小縫。」薇吉妮亞點頭比向右手的兩根手指，「你把盒子拿到指縫上面。」

達克斯點點頭，將透明塑膠盒放到薇吉妮亞的手指上方。

「我放開嘍。」薇吉妮亞的表情非常專注，眉毛都連在一起了。她在塑膠容器底下小心翼翼的打開一道缺口——只有一絲裂縫而已——一個黑黃色的身影猛然衝進盒子裡。「逮到你了！」她得意洋洋的叫著，同時把盒子翻過來，讓甲蟲肚子朝天，再把手平放在盒子上方。「快點，把蓋了給我。」

達克斯將白色塑膠蓋交給薇吉妮亞，她封住容器後把它舉高，好讓大家都能看見。

「是黃色瓢蟲！」柏托特說。

「而且好大一隻！」薇吉妮亞看向達克斯。

六星瓢蟲憤怒的撲向容器的內壁，想要出來。

「她在監視我們！」達克斯生氣的小聲說。

「誰？」柏托特擔心的看看達克斯，又看向薇吉妮亞。

「盧克莉霞・卡特。」達克斯嚥了下口水，他的嘴巴突然變得好乾。「黃色瓢蟲是她的眼線。我在找我爸的時候，自然歷史博物館的昆蟲標本庫裡就有一隻，記得嗎？」

薇吉妮亞點頭。「從現在起，我們必須提高警覺。」

「牠剛才在**我**身上？」柏托特尖聲說，「為什麼會在我身上？」

「我就覺得昨天看到一隻，」薇吉妮亞對達克斯說，「在大賣場外面，不過當我再看過去的時候，牠就不見了。」

「我們應該團體行動，」柏托特顯然被嚇壞了，「任何時候都是。」

「同意。」達克斯點點頭，「我需要回基地營一趟，確認巴克斯特沒事。」

自從巴克斯特在家政課時，從達克斯的西裝外套口袋爬出來，小口啃咬放在外面準備做香蕉太妃派的香蕉後，達克斯就被禁止帶兜蟲到學校去。帕芙洛娃老師一看到牠就放聲尖叫。班上的惡霸羅比反覆大喊「甲蟲怪胎！甲蟲怪胎！」，其他人也跟著一起喊。從那以後，達克斯上學時，就把巴克斯特留在基地營的水族箱裡。

「好吧，我待會得去圖書館一趟。」薇吉妮亞說，她小心翼翼將薄荷糖盒子放進背包，拉上口袋的拉鍊。「不過我們應該把瓢蟲帶去基地營，把牠留在那裡。同時，你可以去拿巴克斯特。」

「你幹麼要去圖書館？」達克斯問。

「為了班森的歷史作業啊，要從真實事件中找出主要和次要的證據來源，圖書館是最適合的地方了。我想，我會用報導盧克莉霞．卡特的報紙文章。」她咧嘴一笑。「調查工作和家庭作業同時進行。」

「真是個好主意。」達克斯點點頭。

「我們可以一起去圖書館呀。」柏托特滿懷希望的看著他的朋友，「畢竟我們全都得做班森先生的作業。」

「好啊，」薇吉妮亞把背包甩到肩上，「不過盧克莉霞．卡特是我的主題，你可不能抄襲我的點子。」

「我在那臺看微縮膠片的老玩意兒上發現了一樣東西，過來看看吧。」薇吉妮亞伸手在兩個男孩面前揮了揮。

達克斯和柏托特從圖書館電腦前站起來，他們在電腦上搜尋報紙檔案，找尋有關盧克莉霞．卡特的報導。電腦檔案只能回溯三年，其他大量的歷史檔案都儲存在微縮膠片上，必須用特殊的機器查看，而他們一走進圖書館的門，薇吉妮亞就馬上搶著用了。微縮膠片機器有個很大的螢幕，底下放著薇吉妮亞所選的微縮膠捲，看起來像一條帶狀的照片底片。她按下紅色按鈕後，膠捲被送到鏡頭底下，螢幕上便出現影像。

薇吉妮亞用手指著影像。「聽聽這個。史賓賽．克里普斯，出身倫敦東區的十六歲男孩，在卡特實驗室擔任實驗室助理，」薇吉妮亞停頓一下，意味深長的看他們一眼。「據認為不幸溺死在康登運河裡。警方找不到他的遺體，可能被沖進下水道系統，不過在水道岸邊發現了他的一雙鞋子和一只手錶。他身後留下極度傷心的母親，艾莉絲．克里普斯太太，她請我們刊登這項聲明：『史賓賽是我的命根子。我不相信他溺死了。他是個游泳健將。拜託，如果有人看到他，請和警方聯繫。』高級督察蘇龐說克里普斯太太悲痛欲絕，但不幸的是，他們確信史賓賽．克里普斯已經溺死了。」

「我不懂。這件事有什麼關係？」達克斯對薇吉妮亞皺起眉頭，「除了這個史賓賽什麼的曾經替盧克莉霞．卡特工作過之外，和甲蟲沒有半點關係啊。」

「你不覺得聽起來有點古怪嗎？」薇吉妮亞說，「一雙鞋子、一只手錶，可是沒有屍體？」

「也許他在運河裡游泳，結果被拖下去了。」柏托特說。

「你在跟我開玩笑嗎？你看過那運河有多淺吧？連購物推車都會突出水面。」薇吉妮亞再度指向螢幕，「而且你看，這篇文章的日期是五年前的。」

「所以呢？」達克斯鼓勵她說下去。

「所以說，」薇吉妮亞不耐煩的翻了個白眼，「你們從來沒想過那些甲蟲在甲蟲山裡住了多久嗎？我們知道牠們是在盧克莉霞．卡特的實驗室裡誕生，生來就有特殊的能力，可是是在什麼時候？而且，牠們是用什麼方法離開那裡的？一定是發生了什麼事，牠們最後才會跑到大賣場。」

「對。」達克斯點了點頭，「那倒是真的。」

「我認為這就是原因。」薇吉妮亞指著文章旁邊的照片：一個臉蛋長得像野蘋果的男孩，頭上頂著一叢亂糟糟的淡金色頭髮，戴著方框眼鏡，友善的對著他們微笑。「史賓賽．克里普斯。」

「你憑什麼認為史賓賽．克里普斯和甲蟲有關呢？」柏托特問。

「因為我是個天才啊。」她把頭歪向一邊，露出笑容。「而且我想出了甲蟲在甲蟲山住了多久。」

「怎麼想出來的？」達克斯問。

「馬文告訴我的。」她把手伸到馬文抓著的辮子下面，櫻桃紅甲蟲跳下來，用粗大的後腿站立。「牠不懂時間，所以我先說明耶誕節是什麼。我給牠看街上掛起的一串串彩燈，還有窗戶裡裝飾的耶誕樹，牠告訴我牠以前看過四次耶誕節。」

「是牠**告訴**你的喔，牠親口說的嗎？」達克斯哼了一聲。

「不是啦，你這自以為聰明的傢伙，當然不是啊。馬文又不會說話，牠是隻甲蟲耶。不過，牠會用腿敲桌子，牠就是用這種方法告訴我數字的。牠用腿敲了四下，那表示馬文看過四次耶誕節。現在是十二月，所以今年將是牠的第五個耶誕節。」她瞇起眼睛，噘起嘴巴，看有誰敢質疑她。

「這招很聰明。」柏托特說著看向達克斯。

「嗯，很厲害。」達克斯承認。

「我就說吧！」薇吉妮亞自鳴得意的說，「我在找大約五年前發生，有可能可以解釋甲蟲山的事，不過不光是這樣……馬文認得他。」

「什麼？」達克斯結結巴巴的說。

「牠一看到這張照片就非常興奮。牠跳到螢幕上，而且——我發誓——牠還摸了史賓賽．克里普斯的臉。」

「真是詭異。」柏托特睜大眼睛低聲說。

達克斯把臉湊近螢幕的玻璃，肩膀往前傾，好讓巴克斯特能看到照片。「巴克斯特，你認得他嗎？你認識史賓賽．克里普斯嗎？」

兜蟲點了點頭。

「看吧！」薇吉妮亞說，「牠們都認識他。」

達克斯看著薇吉妮亞。「可是這代表什麼呢？」

「這代表我們需要去拜訪克里普斯太太，問她覺得她兒子到底出了什麼事。」薇吉妮亞跳了起來，「因為我憑直覺認為他可能還活著。」

「不行！」柏托特一臉恐懼，「我們不可以去問一個陌生人她兒子究竟是死是活！」

「反正我不能去，」達克斯語氣平淡的說，「我爸不准我去探查跟盧克莉霞・卡特有關的事。」

「可是你在這裡查閱跟她有關的文章啊。」薇吉妮亞雙手插腰。

「對，不過這是為了班森的作業，而且是在圖書館裡。」達克斯聳了聳肩，覺得有點尷尬。「這很安全，我爸不會知道我看了哪些文章。去找人談盧克莉霞・卡特的事，那是絕對禁止的。」

「喔，拜託，」薇吉妮亞抗議，「這件事可能跟盧克莉霞・卡特完全無關啊，那樣一來就沒事吧，如果有關的話……嗯，難道你不想知道嗎？」

「我當然想啊，可是我應該坐在這裡，什麼都不做。」達克斯悶悶不樂的說，「而不是惹麻煩或礙事。」

「什麼都不做就等於是在幫助盧克莉霞・卡特，」薇吉妮亞說，「而且那隻黃色瓢蟲怎麼說？她在監視我們耶。」

「對啊，我知道，」達克斯點點頭，「我爸會說，正因如此，我更不應該去招惹麻煩。」

「你知道我怎麼想嗎？」薇吉妮亞交抱著雙臂說，「我覺得這件事，」她伸出一隻手揮向那篇報紙文章，「和我兩個月前看過的報導類似，那篇報導說，有個科學家從自然歷史博物館上鎖的庫房消失了。警方和報紙都說他逃跑了，要不然就是自殺了，他們不想調查。他們什麼都不做。」

達克斯的眉毛挑了起來。

「萬一這是同樣的情況呢，達克斯？」薇吉妮亞說，「萬一這就和你爸爸失蹤的時候一樣？萬一史賓賽．克里普斯還活在某個地方？那克里普斯太太怎麼辦？」

「可是，」達克斯看著地上，「我答應過我爸了。」

「我們不會接近陶靈大宅。克里普斯太太住在哈克尼。」

「你怎麼知道？」柏托特問。

「我在電話簿上查到的。艾爾頓路二十七號。」薇吉妮亞咧嘴一笑，拿起桌上微縮膠捲閱讀機旁的一大本藍皮書。「走嘛，達克斯。你爸爸不會介意我們去跟一位老太太聊聊天，她很可能從沒見過盧克莉霞．卡特。」

「我們可以問他啊。」柏托特抱著希望說。

薇吉妮亞拍一下他的手臂。「不行啦，我們不能問。」

達克斯回想自從爸爸出院後他必須遵守的所有規定。事實上，這麼做不會直接違反任何一條規定。「我想這和盧克莉霞．卡特其實沒什麼關係……」

「我們甚至可能什麼都查不到。」薇吉妮亞勸誘。

「啊，好啦！」達克斯無奈的攤手，「我受夠了只能呆坐，等著別人告訴我發生了什麼事。算我一個吧。」

「好極了！」薇吉妮亞揮拳慶祝，「我們現在就去拜訪克里普斯太太吧！我們可以搭公車，大概二十分鐘的車程。」

「要是我們查到了重要的線索，」達克斯感到一陣興奮，「就可以告訴我爸和麥西伯伯，然後給他們看那隻黃色瓢蟲。」他露出笑容。「這麼一來，我爸就會明白我是幫得上忙的。」

8 司卡德

艾爾頓路二十七號在街坊鄰居中顯得非常突出，就像一排珍珠白的牙齒裡的一顆爛門牙。門前小花園的鋪路材料裂開，長滿了常春藤和蒲公英，通往前門的小徑上到處都是洋芋片包裝袋和糖果紙。達克斯注意到窗簾是拉上的。

「這棟建築看起來很悽慘。」柏托特悄聲說。

「巴克斯特，你得躲起來，」達克斯對兜蟲說，「馬文，你也是，還有你，牛頓。」

巴克斯特爬進達克斯綠色套頭毛衣的領子裡，牛頓消失在柏托特那叢白色頭髮中，馬文則捲繞在薇吉妮亞的髮辮尾端。

「來吧。」薇吉妮亞大聲敲門，把柏托特往前推。他們認為柏托特看起來最整潔、最不會嚇到人，所以應該由他來說話。

他們等待克里普斯太太來開門。

「我應該再敲一次嗎？」薇吉妮亞小聲說，但接著響起一聲喀嗟聲，門開了一道小縫。

從縫隙中探出一隻眼睛和鼻子往外窺視，捲曲的灰髮環繞著臉部。那隻眼睛眨了一下。「什麼事？是誰啊？」

薇吉妮亞戳一下柏托特的背。

「您好，克里普斯太太。抱歉打擾了，」柏托特很有禮貌的說，「我叫柏托特，這是薇吉妮亞，這是達克斯。我們知道這麼要求非常強人所難，不過，不知道能不能跟您談一談史賓賽的事？」

克里普斯太太把門稍微開大一點。她的個子嬌小，再加上駝背圓肩，看起來更加瘦小。她身穿黑色連身裙，一頭有彈性的灰色捲髮沒有梳理、纏結在一起，不過她的相貌慈祥和善，深深的皺紋顯示她過去時常面帶笑容。

當柏托特吞吞吐吐的說明他們是偵探，在圖書館偶然看見史賓賽的新聞報導，覺得警方沒有好好調查他的案子，假如得到她的許可，他們想要自己再多做一些調查時，她稀疏凌亂的眉毛揚起。

「當然，」柏托特眨眨眼，又說，「如果您寧可不談的話，我們也可以理解——」

「您要知道，」薇吉妮亞插嘴說，「我們認為史賓賽很可能還活著。」

克里普斯太太臉上露出光彩，把門打開。「你們不知道我等人說這句話等了多久。進來吧，進來。」

正方形的玄關後面逐漸變寬，進入昏暗骯髒的客廳。在客廳另一邊，達克斯可以看到米黃色的廚房和軟木磚地板。沿著客廳左邊長長的牆壁上有一層薄擱板，逐漸往上爬到一座老舊的燈管式電暖爐上，成為壁爐架，再從另一邊漸漸降低，化為書架的頂端。擱板上擺滿了鑲框的照片，兩張扶手椅旁的邊桌上也一樣，扶手椅中間的地上有張骯髒的圓形小地毯。那些全是史賓賽的照片：史賓賽堆沙堡，史賓賽的學校照片，史賓賽跨坐在腳踏車上。在其中一張照片裡，史賓賽才剛長牙正在學步，開心的牽著母親的手。克里普斯太太當時很年輕，臉上笑咪咪的，像是個居家型的人，身穿花布洋裝，亂蓬蓬的頭髮盤了起來，一綹焦糖色的捲髮在風中自由飄揚。

站在陰暗的客廳裡，達克斯能感受到克里普斯太太有多麼想念兒子。他在大椅子的扶手上坐下來，突然覺得自己非常思念母親。

「你看。」薇吉妮亞用手肘推推他，指向壁爐上方牆壁上掛著的照片：十幾歲的史賓賽身材瘦削，穿著白色實驗袍，兩手握拳插在長褲口袋裡，他透過方框眼鏡，用關愛的眼神看著一隻坐在他肩上的巨大糞金龜。

達克斯倒吸一口氣。

廚房裡，克里普斯太太在水壺裡裝滿水，再拿出瓷製的茶杯。「這裡面應該有一包餅乾。」她說著，打開又關上櫥櫃。

「不要緊，」柏托特說，「我們沒吃餅乾也沒關係。」

「喔，不行，我堅持一定要。可不是每天都有訪客想來跟我談談史賓賽的事。」

水壺的水燒開後，柏托特提起水壺，把水倒進準備好的茶壺裡。「我們實在不想麻煩你。」

「不會，不會，一點都不麻煩。」克里普斯太太說，她把頭伸進櫥櫃裡面，「我的史賓賽喜歡把餅乾泡在茶裡頭。喏，找到了。」她轉過身來，手裡拿著一包餅乾。「我就知道我還有一些。」

「我來端。」克里普斯太太將茶杯擺到有花卉圖案的茶盤上，柏托特執意幫忙。

克里普斯太太拉一張小邊桌到兩張扶手椅中間。「放在這裡。柏托特，對吧？謝謝你。」

克里普斯太太坐到達克斯對面，滿意的舒一口氣。「除了郵差以外，我不記得上一次跟人說話是什麼時候了。」她看著三個孩子說，「那麼，你們說說看想知道史賓賽什麼事吧？」

「克里普斯太太，我在報紙上讀到，」薇吉妮亞停頓一下，達克斯好奇她會說出什麼話。「您認為史賓賽……嗯，也許他沒有像警方所說的那樣溺死了？」

「沒錯。史賓賽絕對不可能溺死，」克里普斯太太肯定的回答，「他是個游泳好手，而且那條運河很淺。」

「可是，那他的鞋子和手錶怎麼說呢？」薇吉妮亞問。

「呸！」克里普斯太太的臉皺成一團，彷彿聞到難聞的味道。「我不知道報紙為什麼登那些東西。」她搖搖頭。「根本是胡說八道。」

「所以您認為究竟發生了什麼事？」達克斯問。

「我只知道有一天史賓賽下班後沒有回家。」克里普斯太太說，「那鞋子和手錶都不是他的。鞋子一定是某個不幸的人的，但是我的史賓賽穿九號鞋，那雙鞋子是十一號。而且他穿的是髒兮兮的運動鞋，那雙是乾淨的雕花鞋。這些我全都跟警方說過了，可是他們會聽嗎？」

「不會，」達克斯回答，「我敢打賭他們都沒有調查過。」

「史賓賽是被綁架的。」克里普斯太太說，「我很確定。」

「您怎麼能夠確定呢？」柏托特問。

「不然還有什麼別的解釋嗎？我的史賓賽是個性體貼、開朗的孩子，他絕對不會做任何讓我擔心的事。無論他在哪裡，一定是在違背他意願的情況下被拘禁，無法跟我聯絡。那就是綁架了。」

「您想得到是誰下的手嗎？」薇吉妮亞往前傾身，「或是為了什麼？」

達克斯的目光瞥向那張史賓賽與糞金龜的合照。他有種不妙的感覺，覺得自己知道發生了什麼事。

「史賓賽失蹤的那天，在警方來胡說八道，告訴我他溺死之前，有個女人來這裡帶走司卡德。」

「司卡德？」

克里普斯太太指著那張照片。「史賓賽有隻寵物糞金龜，叫做司卡德。」

柏托特瞄了達克斯一眼，達克斯看向薇吉妮亞。她點點頭回應他們無聲的問題。

「拿走牠的女人是不是帶根手杖，戴著大墨鏡？」薇吉妮亞問。

克里普斯太太搖了搖頭。「不是，是個亞洲女人，穿著黑西裝，戴著司機帽。她說史賓賽偷了卡特實驗室的財產。她直接闖進這裡，搜查這個地方，直到她在史賓賽的房間裡找到了司卡德的水壺——你們要知道，司卡德睡在一個鋪滿潮溼土壤的舊銅製水壺裡面——然後就把牠帶走了，根本沒有經過我同意。」

「聽起來像是盧克莉霞．卡特的司機。」柏托特抬頭看向達克斯。

「我把她的事告訴了警方，可是他們嘲笑我。」克里普斯太太搖頭，「甚至問我史賓賽是否真的是小偷。」

「克里普斯太太，我們相信您說的每句話。」達克斯傾身說，然後他猶豫了一會兒。「司卡德是不是……很聰明？」

她緊抓住椅子扶手，目不轉睛的注視達克斯。「你怎麼會知道？」

達克斯看向薇吉妮亞和柏托特。他們三人站了起來。

巴克斯特從達克斯套頭毛衣底下的藏身處爬出來；馬文從薇吉妮亞的辮子上跳下來；牛頓飛出柏托特的頭髮，一閃一閃的發亮。

「因為我們有像司卡德的甲蟲，這是巴克斯特，」達克斯一一指向每隻甲蟲，「這是馬文，這是牛頓。我們的甲蟲也能理解人類的話。」

克里普斯太太盯著三隻甲蟲，看得目瞪口呆。

「喔，我的天啊，要是這是真的，」她低聲說，「那你們就有危險了。」

「我們曉得。」達克斯點點頭，「所以我們才需要您盡可能詳細的告訴我們史賓賽失蹤前發生的事。可能會有幫助。」

克里普斯太太左右環顧，然後垂下肩膀，嘆了口氣。

「我來倒茶好嗎？」柏托特拿起茶壺問，「泡太久的話茶會變苦。」牛頓在他身邊飛舞，閃著亮光，很高興可以不用再躲藏了。

「史賓賽最想做的是當獸醫，」克里普斯太太說，達克斯跟薇吉妮亞坐回自己的座位。「可是他跟學校同學處得不好，被人欺負。所以他退學，在清潔公司找了份工作，在大辦公室裡上夜班，吸地毯、擦桌子。其中一間辦公室就是在沃平的卡特實驗室。

「有天早上，他回家時說，他看見布告欄上貼出徵人啟示，要招聘照顧甲蟲農場的實驗室助理。可以和生物相處的工作讓他非常興奮，所以就去申請，結果應徵上了。我感到非常自豪。史賓賽熱愛那份工作，我從沒見過他那麼開心。他在東區的實驗室裡工作，每天都學到新的東西。他回家時會告訴我不同物種的事，還有他的工作內容，像是餵牠們吃果凍，以及把牠們的行為記錄在專用的圖表上。他的工作表現很好，所以受到提拔。就在那時候，開始發生一些奇怪的事情。他們逼他簽了一份法律文件，要他保證絕對不向任何人透露他的工作。他不能說出來，但這份新工作令他煩惱。史賓賽的晚餐話題變成了動物應當在自然棲息地自由行動，尤其是那些非常聰明、知道自己生活在籠子裡的生物。

「就在他失蹤的前一天……」她停頓了一下，「史賓賽下班回家時，非常焦躁不安。他不肯告訴我發生了什麼事，但是他的行為讓我很擔心，所以我哀求他說出來。他說萬一他被逮到就會失去工作，可是為了甲蟲的自由，這只是很小的代價。」

「他做了什麼事呢？」達克斯問。

克里普斯太太咬一咬嘴脣。「史賓賽在監控一群特殊的甲蟲，叫做巴索勒繆．卡托品種。」

薇吉妮亞抓住達克斯的手臂。

「這些甲蟲非常聰明，可以理解周遭的環境。他們對這些甲蟲進行實驗，每次實驗後，史賓賽都必須記錄下甲蟲在那段時間的行為。」她搖了搖頭，「史賓賽心地很善良，他對那群甲蟲產生了感情，尤其是一隻糞金龜，他取名叫司卡德。有些實驗很殘忍，史賓賽不想看到那些昆蟲痛苦。」

「有一天，一隻普通的糞金龜——他們養在養殖箱裡的那種——死掉了。那些甲蟲是用來當作對照試驗，沒有受到嚴密監控，因此史賓賽將死掉的甲蟲放進司卡德的飼育箱，再把司卡德裝進便當盒裡，偷偷帶出實驗室。他在圖表上寫下司卡德已死亡。實驗室沒有人發現那隻死掉的甲蟲不是司卡德，也沒有人對一般養殖的昆蟲感興趣。就這樣過了好幾個星期，沒人注意到糞金龜失蹤了，但是其他的甲蟲知道是怎麼回事，因此吵著要史賓賽也放了牠們。牠們在實驗室受苦讓他很難受，於是他想出了一個計畫。他詳細記錄下每一種甲蟲，並且測量每一隻甲蟲的尺寸；然後，他從養殖箱蒐集相符的樣本，一旦蒐集到一組和巴索勒繆．卡托品種相似的甲蟲，他就待到很晚。等到沒有人的時候，他就把特殊甲蟲偷偷放進蛋糕盒，再拿普通的甲蟲代替牠們，然後離開實驗室。」克里普斯太太看著三個孩子，「他釋放了那些甲蟲。」

薇吉妮亞深吸一口氣，抬頭看著牆上史賓賽的照片。「他好勇敢喔。」

「克里普斯太太，」達克斯說，「我們的甲蟲就是史賓賽的甲蟲，或者是牠們的後代。他的行為非常英勇。我真希望您能看到所有的甲蟲。有個不可思議的地方叫做甲蟲山，所有史賓賽的甲蟲都住在那裡，過著自由快樂的生活。他做了件好事。」

「我寧願用十座快樂的甲蟲山換回我的兒子。」克里普斯太太說。

大家不自在的沉默下來。

「我們會找到他的，克里普斯太太。您等著看吧。」柏托特說。

「所以盧克莉霞・卡特在昆蟲農場之類的地方製造甲蟲，可是為什麼呢？」薇吉妮亞在走回公車站的途中問，「而且她為什麼要綁架史賓賽？」

「我敢打賭我爸知道是怎麼回事。」達克斯說，「我很好奇為什麼她把那些甲蟲取名為巴索勒繆・卡托品種？」

「也許她是在重做跟你爸爸一起進行的實驗，」薇吉妮亞說，「就是那個法布林計畫。」

「有可能。」達克斯皺著眉頭。

「我們需要多了解一些他們參與法布林計畫時所做的研究。」柏托特說。

「我爸什麼都不會告訴我，」達克斯嘆氣，「我們又不能去問盧克莉霞・卡特……」

「那諾娃呢？」柏托特說，「她以前幫過你。」

達克斯皺了皺眉。自從她幫忙救出他爸爸的那天早上後，他就沒再收到諾娃的消息。「我不想再給她添更多的麻煩。」

「我們沒有別人可以問了嗎？」薇吉妮亞說。

「我想不出有誰可以問。」達克斯皺起眉頭，「等一下！我真是笨蛋。當然有啊：安德魯・艾波亞教授。」

9 食蟲

下午五點，天色漸漸暗了。達克斯、薇吉妮亞和柏托特跳上七十三號公車到天使地鐵站，匆忙跑過驗票閘門、跳上列車，坐到紀念碑站，再從北線換到區域線，然後在南肯辛頓站下車。從自然歷史博物館走一小段路後，達克斯在一棟五層樓的紅磚建築物前面停了下來，前門兩邊有一對白色柱子，窗戶下面有黑色鍛鐵圍著的陽臺。

蜂鳴器一響，達克斯就推開巨大的門，進入有如教堂的門廳，地上鋪著馬賽克地磚，樓梯又長又寬，非常宏偉。

「這地方好高級。」薇吉妮亞說，仰頭細看天花板上裝飾華麗的屋梁。「艾波亞教授很有錢嗎？」

「應該不是，」達克斯說，「他只是在物價還沒有上漲之前，就住在這裡很久了。他年紀很大了，在退休前，他跟我爸一起在自然歷史博物館工作。」

爬到樓梯頂端後，達克斯看見十五號公寓的門開著，一位身材瘦削的老先生穿著睡衣似的淺灰藍長袍站在門口。他透過架在鼻尖上的半月形眼鏡朝三個孩子眨眨眼。

「你是巴索勒繆的兒子？」艾波亞教授的眉毛揚起，前額起了皺紋。「我的天啊，你長得真快。你來這裡做什麼呢？」

「你好，教授。我們想跟你談一件事，」達克斯回答，「事情真的很緊急。」

「那就進來吧，進來。」他招手示意三個孩子進門，「我得說啊，聽說巴弟又露面了，我鬆了一口氣。我擔心了好一陣子。他突然消失跑去休假，也沒告訴任何人，真是不乖啊！把我們所有人都嚇壞了。」

達克斯扮了個苦臉。休假是爸爸告訴所有人的說詞，他很驚訝大家這麼輕易就接受了這個謊言。當人家問起庫房上鎖的事情時，他爸爸會平靜的解釋他打從一開始就沒進去那裡面，那只是個誤會，經過報紙渲染後變成了大謎團。大家都會點頭回答說：「報紙上看到的東西真是不能相信啊。」

「你不向我介紹你的朋友嗎？」艾波亞教授問。

「抱歉。」達克斯指向他的朋友，「這位是薇吉妮亞，這位是柏托特。」

「很高興認識你，薇吉妮亞，」艾波亞教授握握她的手，「還有你，柏托特。」

「這是我的榮幸，教授。」

「又來了。」薇吉妮亞翻了個白眼，柏托特怒目瞪著她。

「好了，小卡托，你來是替你爸爸傳口信嗎？」

「算是吧。」達克斯說。他的注意力轉移到教授家走廊的牆壁上，整面牆由玻璃飼育箱構成。每個飼育箱都點著白色、綠色或紅色的燈，裡頭有土壤、綠色植物和一種無脊椎動物。他看到蚱蜢、蟋蟀，以及各種各樣的甲蟲，包括天牛和六月金龜。

「哇！是狼蛛耶！」薇吉妮亞把鼻子貼到其中一個飼育箱上，「還是粉紅色的！」

「沒錯。」艾波亞教授輕聲一笑，「那麼，孩子們，有興趣吃點東西嗎？我正準備要弄晚餐。」

「我快餓死了。」薇吉妮亞答覆。

「那太好了，不過首先，你何不拿出你的高卡薩斯南洋大兜蟲，」他指著達克斯，「還有你的螢火蟲，和你的粗腿金花蟲？」接著又對柏托特和薇吉妮亞微微一笑。

三個孩子睜大眼睛看著艾波亞教授。

「你怎麼會知道我們帶著甲蟲？」達克斯問，他從套頭毛衣領子拿出巴克斯特。

艾波亞教授欣喜的拍拍手，三隻甲蟲跳了下來，落到每個人伸出的手上。

「我一生都在觀察甲蟲的棲息地、關注昆蟲。我能從三十步遠的地方發現抽動的觸鬚，不過我得承認，這是我頭一次發現棲息地是小孩子。那隻粗腿金花蟲顯而易見，你還沒走進門我就看見了；那隻螢火蟲在柏托特的耳朵上面偷看；至於你的高卡薩斯南洋大兜蟲嘛，達克斯，牠的犄角穿過了你的套頭毛衣。犄角的大小、形狀和顏色會澈底洩露甲蟲的種類。」

「他的名字叫巴克斯特。」達克斯說。

「他的個頭大得不尋常啊。你從哪裡弄來的？」

三個孩子面面相覷。

「說實話，這就是我們來找你的原因。」達克斯回答。

「好吧，希望你們不要介意，不過我要請你們把你們的鞘翅目朋友放進這個空的飼育箱裡，以保護牠們的安全。」他掀開飼育箱的蓋子，箱子裡鋪滿了褐色覆蓋物。「我家裡有其他昆蟲四處亂跑，有些是掠食性的。」

達克斯將巴克斯特放進飼育箱，牛頓跟著飛進去，不過馬文沒那麼甘願。「放開！」薇吉妮亞把手伸到箱子上方搖一搖，但是有金屬光澤的紅色甲蟲頑固的緊抓著不放。「拜託，馬文。只是一下子而已。」

馬文心不甘情不願的一次鬆開一條腿，掉到巴克斯特的翅鞘上。粗腿金花蟲踢一下後腿，鞭策巴克斯特向前走。

「哈！你們看！」薇吉妮亞把鼻子貼到玻璃上。「馬文在騎巴克斯特呢。」馬文向薇吉妮亞揮一揮前腿。「待會見嘍，小傢伙。」

艾波亞教授仔細凝視那些甲蟲，眉頭皺了起來。「廚房往這邊走。」

孩子們跟著他走到飼育箱走廊的盡頭，進入鋪著木地板的廚房，一面牆邊有水槽、流理臺和櫥櫃，中間有張長方形的矮桌，桌子四周擺放著地板坐墊。教授打開冰箱，拿出兩個盤子放到矮桌上。

「請坐。」他轉身從旁邊抓了一小碟濃稠的褐色液體。「千萬不能忘了沙嗲醬。」三個孩子盤腿坐在坐墊上，柏托特盯著盤子。「好了，你們幾個想跟我談什麼？」教授跟著他們坐下，說道。

「嗯，不好意思，教授，」薇吉妮亞問，「這是章魚還是魷魚？」她戳著一個酥脆的黑色物體。

「都不是！那是狼蛛天婦羅。高蛋白質，低脂肪，而且出乎意外的美味。」

「你吃蜘蛛？」柏托特驚駭的輕聲說。

「另外那些是？」薇吉妮亞的眼珠子都凸出來了。

「烤蟋蟀串。」艾波亞教授回答，露出笑容。「那是我的最愛。」

「這是你的晚餐？」達克斯問，感到十分驚訝。

「沒錯，我非常喜歡食蟲。」

「ㄕˊ　ㄔㄨㄥˊ？」達克斯唸出那個詞。

「就是吃昆蟲的意思。」教授輕聲笑著說，「雖然嚴格說來，狼蛛是蛛形綱動物。」

達克斯扮了個鬼臉。

「別這樣，達克斯，吃無脊椎動物跟吃其他種類的生物沒什麼不同。鳥以牠們為食物，你再吃鳥。你的消化系統裡八成充滿了你在不知不覺間吞下的小生物。」

達克斯目不轉睛的盯著蜘蛛。「可是那些毛……」

「沾麵糊前先燒掉。」艾波亞教授拿筷子給三個孩子，「你們想試試看嗎？」

柏托特搖頭。「不了，謝謝。」

薇吉妮亞彎下身，鼻子幾乎碰到盤子邊緣。「你真的吃牠們嗎？」

艾波亞教授用筷子夾起一隻狼蛛，從桌上的瓶子倒一點醬油在上面，再撒些紅辣椒粉，然後咬下去。

柏托特發出尖叫，遮住眼睛。

達克斯愣住了。他從來沒看過人家吃蜘蛛。

「跟海鮮或蔬菜天婦羅沒多大差別。」教授吞下去之後說。

「可是為什麼……」達克斯努力想用不失禮的說法發問。

「其實是我個人的計畫。」他拿起一串烤蟋蟀，沾些花生醬汁。

「我這輩子大多時候都吃素。我不吃肉，是因為不想助長對肉類的需求所造成的惡性集約飼養。那種方法無法永續，而且會破壞地球。」

「可是我喜歡漢堡，」薇吉妮亞說，「還有培根三明治！」

「對啊，我也是，薇吉妮亞，我也喜歡，那些東西很好吃。」艾波亞教授贊同，「不過人類增長的速度太快了，就算我們砍倒所有的森林來養牲畜，再過幾年，肉類還是會不夠養活地球上的人口。」

「我們絕對不能砍伐雨林！」柏托特憂慮的說。

「我同意。」艾波亞教授點了點頭，「可是，如果沒有足夠的肉供應地球上的人食用，那大家要吃什麼呢？」

「蔬菜？」薇吉妮亞看著炸蜘蛛提出建議。

「如果住在富裕的國家，你可以買到五花八門的蔬菜，但是在其他地方可不行。不過，有種方法可以養殖富含蛋白質的動物，又不需要大片的土地和放牧。」

「昆蟲肉？」達克斯猜測，雖然他從沒想過昆蟲有肉。

「昆蟲蛋白質。」艾波亞教授點點頭，一面用牙齒咬住一隻蟋蟀，從烤肉叉子上扯下來，愉快的大聲咀嚼。「我們西方人跟昆蟲的關係很奇特。我們從來沒想過要吃牠們，不過將來有一天我們可能別無選擇——雖然在某些高檔餐廳，昆蟲是非常昂貴的佳餚。」

薇吉妮亞噗嗤一聲，忍不住大笑。「這才不可能是真的！」

「是真的！在丹麥有間很好的餐廳就供應螞蟻，吃起來有薄荷味喔。」

「那麼，走道上的那些飼育箱是？」達克斯回過頭看。

「我的迷你昆蟲農場。我飼養自己的食物。我喜歡在煮之前盡可能保持食物生鮮，然後用人道的方法凍死牠們。我所有的昆蟲都是養來當食物的。嗯，除了冥想室裡的那些以外。我正在寫一本昆蟲食譜，」艾波亞教授自豪的說，「這是我的退休計畫。」

「沒有人會買昆蟲食譜啦！」薇吉妮亞嘲笑。

「我努力設計了讓昆蟲盡可能美味的食譜，」艾波亞教授說，客氣的對薇吉妮亞笑一笑。「你們要是肯試吃這些食物，告訴我你們的想法，就是幫了我一個大忙。」

「對啊，達克斯，」薇吉妮亞的眼睛一亮，「試一下嘛。」

「你自己怎麼不吃？」他反擊。

「你敢試的話我就吃。」薇吉妮亞激他。

「蜘蛛還是蟋蟀？」達克斯問。

「蜘蛛。」

「我不必吃吧，對不對？」柏托特小聲說，臉色有點發青。

「你必須吃一整隻，而且要吞下去。」達克斯對薇吉妮亞說，抓起盤子上他所能看到最小隻的蜘蛛。

「成交。」薇吉妮亞用拇指和食指捏起一隻酥脆的蛛形綱動物。

他們互看一眼，然後同時咬下蜘蛛。

達克斯立刻將整隻蜘蛛塞進嘴巴，努力發出好像吃得津津有味的聲音，不過聽起來卻像是呻吟。薇吉妮亞咬掉一條腿，她拚了命的克制噁心的感覺，臉都扭曲了。柏托特用雙手摀嘴咯咯笑。達克斯試著把腦袋放空，專注在味道上，卻不斷想像一隻又大又肥、毛茸茸的蜘蛛在嘴裡。

艾波亞教授傾身向前。「味道怎麼樣？很奇怪嗎？」

達克斯與薇吉妮亞拚命咀嚼吞嚥下去，柏托特爆發出陣陣笑聲。

「沒那麼糟糕。」達克斯說，他噁心得整張臉都扭曲了。

薇吉妮亞把半隻蜘蛛從臉上拿開，一副味道很難聞的樣子。「你要是再笑個不停，我就把這個塞進你的喉嚨裡。」她拿著蜘蛛對著柏托特揮舞，弄得他大聲尖叫。

「好了，好了，你們太小題大作了。其實味道一點也不差呀。」教授用筷子夾起另一隻狼蛛，調味後放進嘴裡。「或許你們應該沾點沙嗲醬。」

「或許吧。」達克斯不確定沙嗲醬能讓吃蜘蛛變得愉快一點。

「這樣想吧，」艾波亞教授說，「你吃漢堡沒有問題吧？有嗎？」

達克斯搖搖頭。

「吃牛跟吃蜘蛛難道不是一樣奇怪的概念嗎？」

「可是漢堡長得不像牛啊！」薇吉妮亞舉起吃了一半的狼蛛，「這個看起來就像一隻蜘蛛。」

「也許如果長得不像蜘蛛，吃起來感覺就不會那麼糟了。」達克斯贊同。

「也許那就是訣竅，」艾波亞教授點點頭，「對我們來說，吃跟視覺、嗅覺、味覺有關，但是在某些地方，吃東西是為了不要餓死。」

達克斯思考教授所說的話。他試著想像自己餓得半死，像是上完一天課放學回家的路上，知道晚餐還要再等好幾個小時的那種餓。然後他仿效教授，拿起一串蟋蟀，沾點花生醬汁，用牙齒扯下一隻。

「說實話，蟋蟀的味道還不壞呢。」他對薇吉妮亞和柏托特說。

「牠們是很了不起的生物，」艾波亞教授說，「你爸爸愛好甲蟲，我則是蟋蟀。我覺得蟋蟀的歌聲是最能夠讓人平靜下來的聲音。」

「歌聲？」

「沒錯。」教授離開餐桌，走到房間另一頭的門前，打開一道縫隙。「過來聽聽看。」

房間裡，一整個管弦樂團的蟲鳴陣陣響起。

「這是我的冥想室。」艾波亞教授解釋，在三個孩子都靠向他身邊時把門打開。那是一間儲藏室，窗戶上覆蓋著白色亞麻布窗簾，乾淨的木地板上只有一塊藍色墊子。許多幼樹大小的泛白大樹枝靠在牆壁上，幾百隻蟋蟀坐在樹枝上，唱著憂傷的歌曲。

達克斯用舌頭舔了舔牙齒，對於剛才吃了一隻感到內疚。

「我到這裡整理思緒，冥想人生。」教授微笑著說。

「你有一間專門用來思考的房間？」薇吉妮亞問。

「思考跟吃飯、盥洗、睡覺一樣重要。這些事情都有專用的房間啊。」

「我們有一個像這樣的地方，」柏托特說，「那裡到處都是甲蟲，我們想解決問題時就會去那裡。我們叫它基地營。」

達克斯對柏托特露出笑容，想起他們到這裡的原因。「教授，我們需要和你談談我們的甲蟲。」

「當然好，我能幫你們什麼忙？」他說。

「我們的甲蟲是基改甲蟲，」達克斯說，「是盧克莉霞・卡特製造出來的。我們曉得她在飼養甲蟲，但是不清楚原因。」

「基改？」艾波亞教授靠到牆壁上，呼出一口氣。「盧克莉霞・卡特在飼養甲蟲？」他睜大眼睛看著達克斯。「你確定嗎？」

達克斯點頭。

「我們認為這件事跟法布林計畫有關，」薇吉妮亞補充，「那是你的計畫，對吧？」

艾波亞教授雙手摀臉，深吸一口氣後才回答。「是你爸爸說服我邀請露西・強斯登加入法布林計畫。她真是個天才。那時候她是個與眾不同的女孩。巴弟讓她對甲蟲興奮不已。」他搖搖頭。「當然嘍，真正改變一切的是你母親加入了團隊。巴索勒繆一看到愛絲梅，就不關心別的事了。」他注視著達克斯。「你知道嗎？你母親以前常常煮好吃得不得了的昆蟲什錦飯。真希望我有那份食譜。」

「我媽吃蟲子？」

「當然！她是個生態學家，對人類與所吃的食物之間的關係非常感興趣。」

達克斯不大舒服。聽到別人彷彿很了解他母親似的談論著她，令他感覺很糟。

「你知道為什麼盧克莉霞・卡特想要飼養一大堆基改甲蟲嗎？」柏托特問，一邊扭著雙手等待答案。

「可能有很多原因，」教授回答，「在平衡的生態系統中，甲蟲並不是威脅，不過如果引進大量好鬥的物種，可能會造成嚴重的破壞。」他站直了身體，彷彿在自言自語。「只要有一種入侵性的蛀木性甲蟲，不到一星期就可以把一座森林變成枯樹的墳場。」

「她幹麼要大費周章，製造大量的甲蟲來摧毀森林？」薇吉妮亞皺起眉頭，「那麼做沒什麼意義啊。」

「在第二次世界大戰的時候，德國人相信俄國人用馬鈴薯象鼻蟲的幼蟲轟炸他們，」艾波亞教授摘下眼鏡，用亞麻襯衫的一角擦乾淨。「為了毀掉馬鈴薯作物、讓人挨餓，瓦解士氣。」他重新戴上眼鏡。「在俄國昆蟲學家亞歷山大・莫德維科的日記裡有提到象鼻蟲炸彈……」

「那是真的嗎？」柏托特問。

「拿甲蟲來當武器？」達克斯從沒聽過這種事。

艾波亞教授點了點頭。「看不見的武器，沒有人會當真，直到肚子挨餓。」

「要製造武器的話，會需要飼養多少甲蟲呢？」柏托特問。

「億萬隻吧。」薇吉妮亞看向達克斯，「盧克莉霞・卡特不可能在陶靈大宅製造億萬隻甲蟲。她肯定是在別的地方做這件事。」

「在她東區的實驗室——就是史賓賽．克里普斯工作的地方。」達克斯說。

「可是她為什麼想要那種武器？」柏托特問。

「可能是為了錢？」艾波亞教授皺眉，「也許她是在研發一種技術，希望能賣錢。」

「可是她已經很有錢了。」柏托特指出這一點。

「對某些人來說，無論他們擁有多少，永遠都不夠。」艾波亞教授回想著過去，搖搖頭。「對那女人而言，全世界也不能滿足她。」

「我爸在醫院的時候說過類似的話。」達克斯看著薇吉妮亞和柏托特，「他說：『盧克莉霞．卡特要讓全世界拜倒在她腳下才會停手。』」

「法布林計畫的根本缺陷之一是，我們希望實現非常宏大的目標，卻沒有考慮到風險。」艾波亞教授搖頭。

「風險？」達克斯重複一遍。

「生態系統的小小變化可能會導致巨大的變遷。不論你多麼努力控制改變物種所造成的影響，還是無法避免大自然拿走掌控權，讓演化向前推進，做出你可能不想要的決定。甲蟲生物武器可能會為人類帶來極大的災難。」他的聲音逐漸減弱，變成喃喃的低語。

達克斯看向薇吉妮亞和柏托特。「聽起來很糟糕。」

「抱歉。」艾波亞教授搖了搖頭，「我在想什麼？你們不該聽我說這些。」他帶他們回到走道上，來到裝著他們甲蟲的飼育箱前。「沒必要這樣嚇唬你們，別聽我的話。」他輕拍達克斯的背。「恐怕你們必須馬上離開，我得工作了。我很忙的。」他掀開蓋子，孩子們各自伸手拿出他們的節肢動物。「你們不必擔心盧克莉霞・卡特，她真的不關你們的事。我會找你爸爸談談。謝謝你們來看我。見到卡托總是令我開心。」教授露出開朗的笑容，將三個孩子推到外面走廊上，他們還來不及道別，他就把門關上了。

門一關上，艾波亞教授立刻拖著腳步穿過公寓，一手摀在怦怦跳的心臟上。要是盧克莉霞・卡特在飼養基改甲蟲，他非得採取行動不可。他走到冥想室，盤腿坐到藍色墊子上，緩緩透過鼻子吸氣，閉上雙眼，再從嘴巴吐氣。

在他身後，一隻翅鞘上有十一顆黑點的檸檬黃瓢蟲從敞開的窗戶爬進來。

10 戴達勒斯[1]情結

「你跑去哪裡了？」

爸爸聲音裡的熊熊怒氣把達克斯嚇了一大跳。他在客廳入口停下來，薇吉妮亞撞上他的背。

巴索勒繆．卡托站在麥西伯伯的沙發前面，身體兩側的拳頭握得緊緊的，嘴角的皺紋明顯可見，少了鬍子讓他看起來更瘦削年輕。

「我，那個，我們，呃……」達克斯結結巴巴的說，無法直視他爸爸。

「薇吉妮亞，柏托特，你們馬上回家，」巴索勒繆．卡托說，「你們的家人在等你們。達克斯被禁足了。」

「天啊！」柏托特說，拚命眨眼睛。

「從明天起，你們禁止跟他見面。」

「什麼！為什麼？這樣不公平！」薇吉妮亞的雙手立刻插在腰上，「我們又沒做錯什麼事！」

「先生，不管您的理由是什麼。」柏托特急促不清的說，「我相信我們——」

「你還沒回答我的問題。」巴索勒繆．卡托的目光轉回達克斯身上，打斷柏托特的話。「你跑去哪裡了？」

達克斯看向麥西伯伯，他站在壁爐架前面，弓著背、低著頭。

「哪裡也沒去啊，嗯，我們……」達克斯從沒看過爸爸這個樣子。他嚇壞了。

「算了。我不希望你對我說謊。我**知道**你跑去哪裡了。」巴索勒繆．卡托一屁股坐上沙發，「警察打電話來，有人看到你們三個從安德魯家走出來。」

「警察？」柏托特倒吸一口氣。

達克斯渾身起了雞皮疙瘩，凝視著爸爸，想要解讀他的表情。「發生了什麼事？」

巴索勒繆．卡托用手掌根揉揉眼窩。「安德魯入院了，昏迷不醒。他的情況很危急。」他看著達克斯，「他們認為他不會清醒過來。」

「什麼！怎麼會這樣？」達克斯害怕得胃抽筋。爸爸的臉色像被丟棄的口香糖那樣灰白。

「他們認為他可能是被某種昆蟲叮咬了。」

1 戴達勒斯（Daedalus）：希臘神話中的著名工匠，在和兒子伊卡洛斯（Icarus）被關進迷宮時，製造了翅膀幫助兩人逃脫，但是成功逃離後，兒子卻忘了父親的警告，飛得過高，因此翅膀上的蠟被太陽燒融，最後落入海中喪生。

「昆蟲叮咬？」達克斯想起在基地營薄荷糖盒子裡的黃色瓢蟲。那隻蟲曾經咬過薇吉妮亞。

「是她！」柏托特瞪大眼睛看向薇吉妮亞，「是她幹的。」因為太過震驚，薇吉妮亞插腰的雙手放鬆並垂下。「可是……可是他剛才還好好的啊！他叫我們吃蜘蛛，還跟我們說——」她瞄達克斯一眼。

「他跟你們說什麼？」爸爸嚴厲的口氣讓達克斯的心臟不安狂跳。

薇吉妮亞的下嘴唇在顫抖。

「他跟我們說他的蟲子食譜，」達克斯說，突然湧起一陣憤怒。「還有媽媽以前經常煮好吃的昆蟲什錦飯。」

巴索勒繆・卡托的喉嚨發出哽咽的聲音。

柏托特握住薇吉妮亞的手，把她往後拉。

「走吧，」他低聲說，「我想我們該回家了。」

薇吉妮亞與達克斯視線交會。他看得出來她不想離他而去。

「我們學校見。」他說，並且點頭示意她別擔心。

她點頭回應，接著跟柏托特一起離開，麥西伯伯跟在後面送他們出去。達克斯聽見前門關上，麥西伯伯的腳步聲退回到廚房。

「你不會再回去埃賽雷德國王中學了。」他爸爸說。

達克斯皺起眉頭。「什麼？」

「你經歷了很多事，達克斯。休息一下會比較好。麥西伯伯可以當你的家庭老師，以免你跟不上進度，等我們能夠回家的時候，你就可以回去原本在水晶宮的學校。」

「等我們**能夠**回家的時候？那是什麼意思？」

「達克斯，拜託，聽話。我需要你照我的吩咐去做。你得去安全的地方。」

「這裡有什麼問題？」達克斯堅決的問。

「達克斯，我們住在盧克莉霞．卡特的甲蟲山上面，而她正在找牠們。你認為她不會來抓牠們嗎？她絕對會的。」他嚴厲的眼神軟化下來，搖了搖頭。「我絞盡了腦汁，想不出任何可以收容牠們的地方。牠們必須自謀生路，但是你留在這裡太危險了。」

「我們可以全都搬走？」達克斯提議，「一起。」

「不行，我要你遠離甲蟲。」巴索勒繆．卡托看向巴克斯特，牠動也不動的坐在達克斯的肩上。「所有的甲蟲。」

「**不要**！」達克斯驚恐的看著爸爸，「你不能那麼做！」

「達克斯……盧克莉霞．卡特會做出很可怕的事。」看到達克斯絕望的神情，爸爸的藍眼睛開始左顧右盼。

「那我們就阻止她啊！」達克斯說著向爸爸走近，「我們跟甲蟲一起，牠們可以幫忙，牠們可以——」

「不行。」爸爸的表情變得嚴厲，「達克斯，你不許插手這件事。你是我兒子，保護你是我的責任。我不會讓盧克莉霞．卡特再次傷害你。」

「你不能告訴別人嗎？像是軍方？或是政府？一定有人可以幫忙！」

「你以為我沒試過嗎？」他煩悶的嘆口氣，「盧克莉霞．卡特的勢力太龐大了。」

「我絕對不會離開巴克斯特，永遠不會。」達克斯將雙臂交抱在胸前，「要是甲蟲不跟我們走，那我就要留在這裡。」

「達克斯，夠了。這件事你沒有決定權。」

「我不走。」達克斯跺腳，「你不可以逼我。」

「達克斯，拜託。這不是遊戲。我在想辦法做出對你最好的決定。」

「你怎麼知道什麼對我最好？」

「你不聽我的話，」爸爸用嚴厲的口氣回答，「故意去安德魯那裡調查盧克莉霞．卡特的事，我明明要求你不可以那麼做，結果你看發生了什麼事！」他雙手一攤。「你和你朋友認為這是某種幼稚的偵探遊戲，可是這並不是。」

達克斯嚥了下口水。艾波亞教授的遭遇嚇到他了！是黃色瓢蟲咬傷他的嗎？薇吉妮亞也被咬過，不過她沒有生病。萬一是他們引瓢蟲去找教授怎麼辦？萬一艾波亞教授入院是他的錯怎麼辦？

「我不是故意害教授受傷的。」他咕噥著說。

「達克斯，那不是你的錯。怎麼可能會是呢？」爸爸向前探身，「可是你還不明白嗎？躺在醫院病床上的人可能是你啊！」達克斯搖搖頭，非常有把握巴克斯特絕不會讓盧克莉霞．卡特的怪物接近他的皮膚。「所以我才要把你送走。」

「你把我當成小孩子，可是我知道盧克莉霞．卡特的真面目。我看過她！我對抗過她！你記得嗎？」達克斯握緊拳頭，憤怒的挺起胸膛。「是我救了你！你沒辦法保護我——你連自己都保護不了！被她綁架、關進牢房的是你，你甚至不肯告訴我原因。我們必須合作，只有我們互相團結才能擊敗她。」

「達克斯，那是過去的事。已經結束了。你必須忘掉那件事。」

「忘掉？她想要殺你耶……」

「她還開槍射了你！」爸爸走向他，抓住他的肩膀。「盧克莉霞．卡特綁架我，是因為她想逼我幫她做事，但是我拒絕了，所以她才折磨我。可是我在牢房的那段期間，心裡一直很清楚，要是她知道我有兒子，她絕對會抓走你，那樣一來她就可以逼我做任何事。」

「她要你做什麼事？」

「達克斯，我不想把你捲進來。要是你出了什麼事……我永遠也無法恢復的。」

「那萬一你出了什麼事呢？」達克斯邊大聲說著邊往後退。他扭動肩膀，從爸爸的手中掙脫出來。「你根本不知道那是什麼感覺，不曉得你在哪裡、出了什麼事……」突然湧起的情緒讓他說不下去。

「達克斯，聽我說……」

「**不要！**」他的身體不由自主的顫抖。「你才聽我說！你為什麼剃掉鬍子？」他用指責的眼神瞪著爸爸。「你為什麼穿花俏的新衣服？你在房間裡用顯微鏡拿我的甲蟲做什麼？你假裝一切正常，但其實並不是。」

「達克斯，那些甲蟲，我知道你很關心牠們，可是……」

「對！牠們是我的朋友。你不在的時候，牠們在我身邊，在我需要的時候幫助我。那些甲蟲對抗盧克莉霞．卡特，而且擊敗她了。牠們站在我們這一邊。我們需要牠們。這不只是我們的問題，你知道嗎？有個男孩叫做史賓賽．克里普斯，盧克莉霞．卡特抓了他。他媽媽已經五年沒見到他了！」

「達克斯，拜託，冷靜一點。你語無倫次了。」

「**我不想冷靜。**」達克斯狂怒瞪視著爸爸，「我並不笨。我曉得你在計劃什麼。」

「達克斯，我不想再跟你爭論這件事。要是我發現你一直在盧克莉霞．卡特的身邊打探消息……」

「那你要怎樣？」達克斯不怕死的問。

「我會叫滅蟲專家來。」爸爸的表情冷漠。

達克斯瞪大眼睛。「你不會那麼做的！你不贊成殺生。」

「那些甲蟲會引來盧克莉霞・卡特。如果你不肯到安全的地方，我就只得把牠們除掉。」

達克斯凝視爸爸冷酷無情的眼睛，感覺好像胃被吸進黑洞裡。他想對爸爸大吼，卻說不出話來。於是他猛然轉身，氣沖沖的走出去。他腳步沉重的走上樓梯，但是在第二層樓梯的頂端慢了下來，因為從胸口突然湧出一聲啜泣。他手腳並用，跌跌撞撞的爬完最後幾階，到達他房間外面的樓梯平臺。他用拳頭搥了幾下地板，肩上的槍傷讓他疼得臉部抽搐，倒吸一口氣，滾燙的淚水模糊了視野。

巴克斯特從他肩上跳到地上，用後腿直立起來，擺動前腿表示關切。達克斯擦了擦眼睛，翻身平躺，盯著天花板看。

「巴克斯特，為什麼我爸會這樣？要是他能明白甲蟲的力量，他就會看出只要我們團結在一起，就能夠輕易勝過盧克莉霞・卡特。我們應該要對抗她，而不是逃跑。」

巴克斯特掀起翅鞘、展開柔軟的琥珀色翅膀，一躍飛到達克斯的胸膛上。兜蟲停在他肋骨間的凹陷處，把鋸齒狀的腿縮到腹部下面，頭靠在達克斯的胸膛上。

達克斯舉起雙手，用保護的姿態圈住甲蟲。「我才不管他說什麼呢，巴克斯特。我絕對不會讓他拆散我們。他要是想那麼做，我就會跑走，再也不回來。」他想起爸爸說過那些甲蟲是她創造出來的怪物。「爸爸犯了很嚴重的錯誤，你知道嗎？巴克斯特，沒有甲蟲，我們根本敵不過盧克莉霞・卡特。」

一會兒後，他覺得好一點了，於是坐起來，將巴克斯特放回肩膀上。在他對面有一疊堆得高高的紙箱，那是幾個月前，他搬來住的那天，和麥西伯伯合力移出他房間的。他的目光快速順著那疊紙箱往下掃視，停留在由下方數來第二個箱子上。箱子的一角裂開了。他想起自己笨拙的拉著箱子倒退，把它拖出房間時，不小心扯破了，讓娜芙蒂蒂的牙齒連同一堆檔案夾散落到地板上。

忽然間他往前跪下。**檔案夾！**他記得每個檔案夾上都有法布林計畫的字樣。

他仔細聆聽爸爸和麥西伯伯從客廳裡隱約傳來的交談聲，然後小心翼翼的悄聲抬下紙箱，好拿到角落裂開的那個箱子。當時他不知道法布林計畫是什麼，但是現在知道了。如果爸爸不告訴他究竟是怎麼回事，他就自己查個清楚。

他拿到撕破的箱子，打開紙箱蓋。兩疊褪色的紅黃檔案夾就在那裡，全都標著法布林計畫。他拿出檔案夾，放到地板上。

在樓下，通往前廳的門打開了，他僵住不動。

「我不會太晚回來，」他聽見爸爸說，「醫院的探病時間到九點。」

達克斯驚慌的張望四周，樓梯平臺上散亂著紙箱和爸爸的檔案夾。

「希望那個老傢伙能夠脫離險境。」麥西伯伯回應，「不用擔心我們，我會看著達克斯的。」

「麥西，這些事情讓我有不好的預感。」

「先別急著下結論，」麥西伯伯安撫，「安德魯年紀大了。我知道醫生說看起來像是昆蟲咬傷，不過也可能是中風或心臟病發作。」

「所以我得去一趟，好確定一下，而且可憐的安德魯沒有親人。」

「你可以開我的車去。」

達克斯緊緊閉上雙眼，害怕聽到爸爸上樓道別的聲音，不過一秒鐘後他聽見前門砰一聲關上。

達克斯抓起檔案夾，踮著腳尖跑進房間，把檔案夾往地上一丟，再回到走廊上慌忙的重新把紙箱堆好。他倉促跑回房間時，聽見麥西伯伯落在樓梯上的腳步聲。達克斯把一堆衣服扔到檔案夾上，然後抓起一本最靠近的書，一屁股盤腿坐到地上。

一陣敲門聲。「請進。」達克斯說，努力讓呼吸平穩下來。

「我想你可能餓了。」麥西伯伯推開門說。他一手拿著一盤火腿三明治和一根香蕉，另一手拿著一杯牛奶。

「我餓死了。」達克斯承認。

「這書好看嗎？」麥西伯伯挑動眉毛。達克斯低頭一看，發現自己拿的是《食人習俗思想史》，而且還上下顛倒。

「我其實沒在看。」他坦承。

「那真是可惜，」麥西伯伯笑了，「那是我讀過關於食人寫得最好的一本書。」

達克斯露出笑容往前坐，他伯伯將餐盤和玻璃杯放到臨時湊合的紙箱桌上。達克斯拿下肩膀上的巴克斯特，放到餐盤旁邊。他剝了香蕉皮後，折下一大塊給兜蟲。

「謝謝你，麥西伯伯。」他咬一口三明治。

「不客氣，嗯，我會在樓下，如果你需要我的話……你知道的，如果你想要聊一聊，或者，」麥西伯伯聳了下肩，「什麼事都行。」

「我們真的要離開嗎？」達克斯問。

「恐怕我們非離開不可。」

「但是我可以帶著巴克斯特吧，不可以嗎？」

「嗯，我……呃……」麥西伯伯看著巴克斯特，「你爸爸對我們的小朋友很有意見。」

「我爸錯了，」達克斯說，「他誤會了這些甲蟲。」

「有可能。」麥西伯伯點點頭，「不過他是你爸爸。他對這些東西比我們都要了解，我們應該支持他。」

「我只想要他聽聽我的意見，讓我展現這些甲蟲的能耐給他看。麥西伯伯，你會跟他說說看嗎？」

「我會試試。」麥西伯伯看起來好像想再說點什麼，不過隨後改變了心意。「需要我的話就叫我吧。」說完便關上門離開。

達克斯看著那堆衣服，仔細聽著麥西伯伯遠去的腳步聲，然後悄悄走過去，掀開衣服，拿起最上面的檔案夾，抽出裡面的文件。他一邊吃著三明治，一邊有條不紊的翻閱一頁又一頁的筆記，瀏覽拉丁文詞彙、圖畫（有一些畫的是甲蟲）、圖表、示意圖，還有一串串的數字。他的心沉了下去。他完全看不懂。

他再拿起另一個檔案夾，裡面充滿了類似的頁面。他拿了第三本，沒抽出文件，直接快速翻閱。他的指尖發現了兩張照片。較大的那張他以前見過，放在盧克莉霞．卡特的桌子上：是法布林計畫小組的照片。

他用手指輕輕撫過媽媽的臉廍。她的笑容燦爛而溫暖，一頭濃密的黑髮從肩膀垂下來。她在白色實驗袍下面穿了深色的高領毛衣，兩手交疊放在膝蓋上。照片背面有爸爸親手寫的名字。他把這張照片擱在一旁，再看第二張：在這一小張正方形的照片裡，是爸爸年輕時的肖像，鬍子刮得乾乾淨淨，戴著厚框的方形眼鏡，露出驚訝的笑容看著相機，手裡捧著一隻巨大的大角金龜。

11 警告的信號

諾娃從寢室窗戶看著一長串黃色瓢蟲持續進出陶靈大宅。瑪泰在找某樣東西或某個人。她胸口的心臟揪緊；不會是達克斯，他已經不在了。

她的眼中充滿淚水。自從她得知朋友死亡的消息已經過了兩天，只要稍微想到他，她就忍不住哭泣，就連赫本也無法安慰她。每當失控啜泣，她對瑪泰的心就會變得更硬一點。

在淚水模糊的視線中，她看見另一隻瓢蟲迅速飛進三樓窗戶，到瑪泰的房間去。諾娃受夠了在一旁觀看，決定查出發生了什麼事。她偷偷溜出房間，躡手躡腳的在大宅四處走動，到房門口竊聽，從交談的大人身邊走過；就在諾娃經過警衛室的時候，她的情報蒐集工作終於有了收穫。她偷聽到激動的柯雷文在對丹奇許大吼。

「老弟，動作快點。那些討厭的瓢蟲已經搶先我們一步了。我們看起來像兩個大傻瓜。要是再不小心點，老闆就會把我們開除，用甲蟲取代我們。」

丹奇許嘟噥的回答聽不清楚。

「不行！交出來。你用漏斗把煤氣裝進那個罐子裡。」

「我不想進下水道，」丹奇許嘟囔著說，「那下面好臭，而且有老鼠。」

「你常常都很臭，我也沒在抱怨啊！」柯雷文厲聲回嘴，「等我們把噴火器加滿燃料，就立刻扔上廂型車，開到汙水處理廠，從那裡進入通道。我可是等不及要找到那堆爛甲蟲，把牠們全都燒成灰！」

諾娃感覺自己臉色變得慘白。他們打算燒掉達克斯的甲蟲！瑪泰先謀殺了達克斯，現在還想要殺死他的甲蟲！

諾娃拔腿就跑，兩腳在石材地板上咚咚作響。她滑到僕人電梯外面停下來，費力拉開柵門，飛快跑進去，再把柵門關上。電梯上升到五樓時，她感覺眼淚順著臉頰滾落。她氣憤的擦掉淚水，一種驚慌無助的感覺驅使她前進。達克斯非常愛那些甲蟲，而且牠們是赫本的家人。她必須解救牠們。可是該怎麼辦呢？她被困在陶靈大宅裡。也許她可以傳訊息給某個人？但是該給誰呢？

她想到達克斯的爸爸，不過他失去了兒子一定悲痛萬分，不會想幫助殺了達克斯的凶手的女兒。她又想到柏托特跟薇吉妮亞，達克斯稱為朋友的男孩和女孩，不過她甚至不曉得他們的姓氏，要怎麼找到他們呢？

她必須向某個人發出警告，不能讓柯雷文和丹奇許消滅掉達克斯的甲蟲。

電梯鈴響的時候，諾娃想到了達克斯的伯伯，那個揍了傑拉德的人，瑪泰叫他麥西米廉．卡托。他或許能夠幫忙，而且她知道他住在哪裡：在尼爾遜街上。

諾娃使勁扳開柵門，順著走廊飛奔回臥室。她上學的夢想破滅後，只剩下那箱行李，打包好以後沒再打開，現在注定要跟著他們飛往洛杉磯。傑拉德告訴她陶靈大宅將要被封閉，他們不會再回來了。

諾娃一頭撲到床上，從床頭櫃的抽屜裡拿出一套淡紫色的文具。「喔，赫本，可怕的事情快要發生了！」她對著床邊那瓶繡球花說。

赫本從一朵藍色的花下面現身，翅鞘反射出彩虹的顏色，牠費勁的爬上諾娃的視線高度。

「柯雷文和丹奇許知道你們的茶杯山在哪裡了。他們打算燒掉茶杯山！」

赫本驚慌得用後腿站起來，擺動前腿，差點從花束上摔下去。

「我們得找人幫忙。」諾娃撕下一張紙，再從筆筒抽出紫色的筆，開始動手寫信。

這時，她床邊的白色電話響了。諾娃拿起電話聽筒，兩眼仍盯著寫給麥西米廉．卡托的信。「喂，米麗啊。」

「喂，親愛的。我剛才接到指示，你今晚要到女皇飯店。」

「今天晚上？可是已經很晚了耶！」

「對。你們明天早上就要飛去洛杉磯了，一早出發。我只是在想，你要不要我幫你準備什麼點心或者飲料帶在身上？」

「哎呀！」諾娃感到一陣恐慌，時間不多了。「可以給我帶點甜瓜在路上吃嗎？」

「當然可以，親愛的，我會送上去。」

「謝謝。」

她把聽筒放回原位，匆匆忙忙寫完信，折好後放入淡紫色信封裡。「我們得準備走了，」她對赫本說，一面封好信封，在正面寫上「麥西米廉·卡托」。赫本展開彩色的翅鞘，拍動翅膀飛到諾娃的手臂上。

「我去拿手鐲。」諾娃邊對中蟲說，邊穿過房間去拿手提包，從裡面拿出一條寬版銀手鐲，沉甸甸的底座上鑲嵌著次貴重的綠寶石。她打開釦子，綠寶石立刻靠鉸鍊彈了開來，露出隱藏的圓盒。諾娃拔了幾片藍色繡球花的花瓣，鋪在盒裡銀質的凹室裡，再把手指浸到花瓶裡沾了一點水，滴到花瓣上。赫本昂首闊步順著她的手腕爬進去，然後扭動一下身體，讓自己舒服的窩在繡球花床上。

門口傳來敲門聲，米麗拿著一小盒用塑膠保鮮盒裝著的切片西瓜，匆忙走進房間。

「來吧，親愛的。你得穿上外套和鞋子。」

諾娃小心翼翼的關上暗格。「米麗，」她深吸一口氣說，「我需要你幫我做件事。非常重要的事。」

「現在最重要的，是確定車子來的時候你已經準備妥當。」米麗氣沖沖的眨眼，「你很清楚萬一遲到了，女主人會怎麼樣。」

「這件事更重要，米麗。」諾娃遞出那封信，「我需要你去送這個。」

「這是什麼？」米麗用懷疑的眼光看著信封。

「這事情很緊急，需要馬上送到尼爾遜街，你能找到那在哪裡嗎？麥西米廉．卡托住在那間爆炸的賣場隔壁。我不曉得門牌號碼。」

米麗倒吸一口氣往後退，她舉起雙手，驚惶的直搖頭。「喔，不行，親愛的，你不該去蹚那個渾水。情況已經夠糟了，那天你……我是說，萬一女主人發現了……」

「聽著，米麗，她沒發現那件事，也不會發現這件事。我和瑪泰明天早上就要搭飛機到洛杉磯去了。求求你，米麗，如果不是很重要，我也不會請求你。」諾娃能夠聽見自己的心跳聲。「拜託。」

米麗心不甘情不願的接過那封信，動作十分輕微的點了個頭，把信塞進白色圍裙寬大的口袋裡。

「謝謝你。」諾娃低聲說，眼眶充滿了感激的淚水。達克斯死了，她無法讓他復生，不過至少她可以拯救他的甲蟲。

12 裝甲部隊

達克斯醒來後眨了眨眼。有個東西在他耳邊搔癢。他轉頭看見巴克斯特在他頭旁邊的枕頭上，張開嘴巴衝著他笑。

「嘿，巴克斯特。」他輕聲說，在吊床上坐了起來。他睡著時抓著兩張黑白照片，現在從胸口掉落到大腿上。「還好嗎？」

巴克斯特把翅鞘往上掀，伸出一隻前腿比向天窗。夜晚的天空呈深黑色，點綴著星星，不過有一顆特別黃的星星似乎逐漸變大，而且閃個不停。

「牛頓？」達克斯跪起來，小心的避免搖晃吊床，然後拉開窗子。螢火蟲咻一聲飛進來。

「哈囉！」達克斯伸出手，甲蟲降落在他的手掌上，將柔軟的翅膀收到紅棕色的翅鞘下面。「柏托特在哪裡？」

閃、彈、彈、彈、暗、彈、閃、暗、彈、彈、彈、暗、彈。

「冷靜一點。你幹麼這樣閃呢？」達克斯仔細看著菱形甲蟲，「是想要告訴我什麼事嗎？你的亮光有一定的模式嗎？」

　　螢火蟲開始忽明忽滅，然後再次閃光，模式跟之前一模一樣。

「那是摩斯密碼嗎？你在打摩斯密碼？」

　　牛頓得意洋洋的點頭。

「不會吧！」達克斯從吊床探出身子，從檔案櫃頂端抓起紙筆。「再來一次。**閃、彈、彈、彈、暗**。那是B！」達克斯熱切的盯著螢火蟲，「那是A，S，E……BASE，是基地營！柏托特在基地營？」

　　達克斯理解了牠的意思，讓牛頓興高采烈的翻了個筋斗。

　　達克斯急忙爬下吊床。「你什麼時候學會了摩斯密碼？」他在睡衣外面套上最愛的綠色套頭毛衣，再把捲起的照片放進長褲口袋。「是柏托特教你的嗎？」

彈、閃、彈、彈、暗、彈、暗、彈、彈、彈、暗。

「Y—E—S，沒錯！」達克斯大笑，「當然是他教的。他真是保密到家了。」

一想到朋友就在附近，他的心情突然輕鬆起來。他伸出手，巴克斯特爬了上去，迅

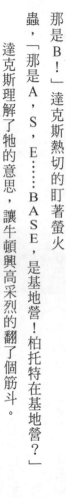

速沿著胳膊跑到他的肩膀上。「薇吉妮亞也在那裡嗎？」巴克斯特對他點點頭，達克斯咧嘴笑了。薇吉妮亞向來不乖乖聽話，而柏托特即使不贊同，但最後總是順著她的心意去做。

吊床尾端有個掛在銅鉤上的小手電筒，上頭繫了條寬鬆緊帶，他抓起手電筒，戴到頭上後打開開關，然後手腳並用的爬上檔案櫃，將兩手伸出天窗外，抓住木頭窗框，從洞口跳上去，坐到窗戶左邊的屋瓦上。他經常跟巴克斯特上來這裡。他喜歡眺望鄰近的街道，看著尼爾遜街周遭的一切來來往往。很少有人抬頭看，達克斯覺得那樣很可惜，因為天空總是比人行道要有意思。

他小心避開鬆動的屋瓦滑下屋頂，在到達懸在大賣場廢墟上方那塊陡降的區域之前停了下來，然後謹慎的爬向排水槽。他從屋頂邊緣窺視，看見那座黑色鍛鐵製的太平梯，距離頂層平臺有兩公尺高的落差，不過如果他讓自己吊在排水槽上，兩條腿垂下去，那就只差不到一公尺了。

他閉上眼睛，祈禱廚房裡沒人，接著牢牢抓住將排水槽固定在屋頂上的鐵製品滑下去，懸在屋頂邊緣。他跳下去著地時，發出響亮的碰撞聲，然後立刻蹲下身體，豎耳聆聽，預期會聽見發怒的聲音，或是看見廚房窗口出現熟悉的面孔，不過什麼也沒有。他解開梯子，讓它滑下去，再爬到下一層樓梯平臺，一一解開每座梯子，直到終於降落在麥西伯伯野草叢生的花園裡。

巴克斯特拍打翅膀，飛落在他的肩膀上。牛頓在達克斯前方的空中跳舞，興奮的在空中穿梭。達克斯覺得好像只要跟甲蟲在一起，他什麼事都辦得到。

甲蟲跟男孩爬上花園邊緣的棚屋屋頂上，翻過隔壁的牆，看也不看就跳進一大堆廢棄物當中——達克斯頭一次發現這堆廢棄物時，將它取名為家具森林；現在，即使在三更半夜，達克斯都對這裡瞭若指掌。他熟悉每個角落、每個靠枕。他手腳並用的爬向那扇釘著銀色七十三的黑色門，那是基地營的入口。

他推開門，溫暖的黃光和他最愛的兩個人滿面笑容的迎接他。

「你怎麼那麼慢？」薇吉妮亞笑著問。

馬文吊在她的辮子上，朝達克斯揮一揮紅色爪子。

「你們在這裡幹什麼？」達克斯大笑，「我以為你們不准跟我見面呢。」

「從明天起。」薇吉妮亞咧開嘴笑，「我們明天開始被禁止見面，所以我們想最好今晚見你一面，不然就會違背父母的話，我們可不想這麼做，對吧？」

「那你呢？」達克斯看向柏托特。

「我把靠枕塞在棉被下面，偷溜出來。我媽其實沒有訂什麼規則。」柏托特把眼鏡往鼻梁上推，「她說她希望我別惹麻煩，不要惹你爸爸生氣，但是我終究得自己決定什麼是該做的事。」

「我幾乎得把他拖來這裡。」薇吉妮亞語氣平淡的說。

「才沒有呢，」柏托特斷然否認，「我只是不想讓我媽失望。」

「不會的。」薇吉妮亞一屁股坐到橄欖綠的沙發上，「等我們查出盧克莉霞・卡特對史賓賽・克里普斯做了什麼，把他救出來，還有阻止她進行邪惡的計畫，你就是英雄了。你媽媽會以你為榮的。」

柏托特看起來並不高興。

「那個摩斯密碼很酷喔！」達克斯轉移話題說。

「可不是嗎？」柏托特得意得滿臉通紅，「牛頓學得很快，牠現在可以拼出複雜的句子。我本來不確定你能不能破解。」

「我在幼童軍時學過，」達克斯說，「利用密碼真是個好主意。不知道其他的甲蟲是不是也能學會？」

「不是所有的甲蟲腹部都有發光器。」薇吉妮亞點出。

「摩斯密碼也可以用聲音，」達克斯說，「巴克斯特可以用犄角敲出訊息，或者用摩擦發音。」

「這主意棒極了！」薇吉妮亞往前坐，「馬文可以用後腿跳踢踏舞打出訊息。」

柏托特在薇吉妮亞旁邊坐下來，拿出一支筆和筆記本。「我把這記下來喔，好嗎？」

「把什麼記下來？」達克斯問。

「我們不知道下次什麼時候可以碰面，」薇吉妮亞說著從背包拿出一大本地圖集，砰的一聲放到咖啡桌上。「所以我們要做個專門的檔案放在基地營這裡，我們大家都可以記錄、分享。」

「那是本地圖集。」

「並不是，它只是**看起來**像地圖集。」她翻開書的封面，裡頭原本應該是地圖的地方卻是個文件夾。「我在牆邊一堆腐爛的溼盒子裡找到的。原本的地圖已經毀了，所以我撕了下來，再把這個文件夾塞進封底內側。這樣一來就沒有人會知道了。」

她抽出幾張紙，其中一張是關於史賓賽・克里普斯的文章，另一張的標題是「法布林計畫」，上面有幾個名字。

「那麼，這些也應該放進去。」達克斯伸進睡衣的後面口袋，拿出捲起的照片。「我在我爸的研究檔案夾裡找到的。」

「是那張照片！」柏托特驚叫，從達克斯手中拿走那張大的照片。「盧克莉霞・卡特桌上的那張。」

「看看背面。」達克斯說。

柏托特把照片翻過來，看到了名字。「薇吉妮亞，你看！」

「太棒了！」她從牛仔褲拿出一支筆，「唸出來吧。」

「丹妮・拉赫司博士、石川佑樹博士、亨里克・蘭卡博士、露西・強斯登博士，然後是達克斯的爸媽，巴索勒繆．卡托博士和愛絲梅．馬汀—琵雅拉，」柏托特唸著，「跟安德魯．艾波亞教授。」

薇吉妮亞注視著達克斯，眼睛閃閃發亮。「有三個新名字！有可能是線索喔。」

「我帶了這個要放進檔案裡。」柏托特從包包裡抽出一張報紙，「看看誰上了頭版。」

頭版上刊登了盧克莉霞．卡特的照片，她穿著招牌的實驗白袍、戴著墨鏡，兩根黑色手杖像滑雪杖一樣用皮帶掛在手腕上。在她身旁，諾娃對著攝影機露出最美的電影明星笑容。

「裡面的報導說，盧克莉霞．卡特要為入圍電影獎最佳女主角的所有女演員提供服裝，包括諾娃。你們知道她入圍了嗎？她演了一部叫做《馴龍記》的電影，是講盲眼少女和寵物龍的故事。」

達克斯回想他頭一次在陶靈大宅的圖書室見到諾娃的時候。「她的確提過演了部電影什麼的。」

「我們應該去電影院看一下，」柏托特興奮的說，「我敢打賭她一定很棒。」

「你怎麼會知道？」薇吉妮亞輕蔑的哼了一聲，「你又沒見過她。」

「是沒有，」柏托特嘆了口氣，「不過我總覺得像是認識她，因為她是達克斯的朋友，幫忙救出他爸爸……而且她有甲蟲。她就像是我們的一分子。」

「她**的確**是我們的一分子，」達克斯說，「我真希望有辦法可以跟她說話。」

「我們不知道她為了幫忙救你爸爸，可能惹上了多大的麻煩。」薇吉妮亞輕聲說，「你不想讓情況變得更糟吧。」

柏托特指著報上諾娃的照片。「起碼我們知道她還活得好好的。」

「沒錯。」達克斯露出微笑，「這倒是真的。」

柏托特將報紙放入檔案，抱著希望說：「如果盧克莉霞．卡特要出席電影獎，也許她已經放棄尋找甲蟲了。」

「那麼我們要擔心的就只有我爸爸了。」達克斯鬱悶的說。他勢必得告訴朋友們自己要被送走的事。

「噓！」薇吉妮亞一把抓住柏托特的手臂，滿臉驚慌，手指放在嘴脣上。

他們聽見基地營門外有響亮的匡啷聲。三人一轉頭，看見門被猛然拽開。麥西伯伯跌跌撞撞的走進來。

「達克斯！喔，謝天謝地，你在這裡。」麥西伯伯揮舞著一個信封，上氣不接下氣，粗糙的皮膚因為費力爬過家具森林顯得泛紫。

達克斯跳了起來。「出了什麼事？」

「我聽見聲響，以為是巴弟從醫院回來了。我走進他房間，在床上發現了這個。是寫給你的。」他把信封遞過去，「我想，我本來應該要到早上才會發現，我的行李箱和他所有的新衣服都不見了。」

達克斯接過信封一把撕開，恐懼在拉扯他的內心。他大聲唸了出來，拿著信的手在發抖：

親愛的達克斯，

我必須離開一陣子。我知道這對你來說很難理解，不過有件事我非做不可，而且沒辦法帶你一起去。

到爺爺奶奶家去，遠離城市，麥西伯伯會好好照顧你。對他好一點，他非常愛你，這一切都不是他的錯。

我需要你勇敢一點，因為我可能會離開好一段時間。對不起，我不大可能及時回家過耶誕節，不過我保證會儘快回來補償你。

我希望能解釋得清楚一些，但是請你明白，你媽媽也會同意我必須離開。實在是沒有別的辦法。

我愛你勝過一切。

爸爸留

他任由信掉到地上，看向麥西伯伯，伯伯驚訝的張大了嘴。

「唉，這麼多愚蠢、固執、白痴的事，偏要……」麥西伯伯脫下探險帽，無奈的用手指耙梳過銀髮。

「他要回到盧克莉霞．卡特那裡去。」達克斯說，激動得聲音嘶啞。

「他不一定是要回去。」柏托特說。

「他一定是。」達克斯用斬釘截鐵的語氣說，「我已經明白他為什麼要買新衣、刮掉鬍子了。」他拿起法布林計畫的照片。「他想要看起來和年輕時一模一樣。」他指著照片上的爸爸。「在他們還是朋友的時候。」

「他說他愛你，」柏托特說，「這點很好啊。」

「等一下。他說『到爺爺奶奶家去，遠離城市』是什麼意思？」薇吉妮亞雙手插腰，看著麥西伯伯。

「嗯，我以為我們三個要去我爸媽在威爾斯的老家過耶誕節。」麥西伯伯說，「可是顯然巴弟有別的想法，覺得不適合跟我說。」他搖搖頭。「那個邪惡的女人在他身上下了蠱。」

「我不要去。」達克斯用雙手揉臉，「你不能逼我。」

「達克斯，我答應你爸爸我會帶你離開倫敦。」麥西伯伯伸手放在他的肩膀上，「不過，我**並沒有**答應他什麼時候離開，或者要帶你去哪裡，所以我們還有轉寰的餘地。」

「我們？」達克斯看著伯伯。

「喔，是啊。」麥西伯伯把帽子放到桌上，悶哼了一聲在沙發上坐下來。「不管你們在計劃什麼，我都要參一腳。」

「達克斯，」薇吉妮亞看向他，「我們該怎麼做？」

「我爸有危險，」他嚥下口水，「只有強大的力量才能夠阻止盧克莉霞．卡特。他沒辦法單打獨鬥，我們必須幫他。」

「我們不是什麼強大的力量。」柏托特的白眉毛挑起，高過他的大眼鏡。

「渺小的東西，比方說甲蟲或是小孩，也許看起來很弱或不重要。」達克斯說，「但是小東西可以進入不同的地方，看到一些東西。」他看著他的朋友。「而且如果一個小東西和另一個小東西聯手，再加入另一個，聯合起來就會變成強大的大東西，成為不可忽視的力量。」

「可是我們不曉得盧克莉霞．卡特打算做什麼！」柏托特提出異議。

「我們知道她在培養一大群基改甲蟲，只是不知道目的是什麼。」達克斯嘆氣，「不過我敢打賭我爸一定知道。」他轉向他伯伯。「你跟爸爸談過，他告訴過你什麼可能有用的資訊嗎？」

「是有件事，」麥西伯伯點頭，「在醫院的時候，巴弟讀了一篇期刊文章，談到科羅拉多州的洛磯山國家公園裡，山松小蠹蟲暴增擴散的事情。那種甲蟲只有五公釐長，」他把拇指跟食指捏在一起，說明牠的尺寸。「可是暴增擴散後卻摧毀了幾百萬公頃的森林。你爸爸似乎認為這件事跟盧克莉霞·卡特有關。」

「她毀掉了一整座森林？」柏托特恐慌的說。

「我也稍微翻了一下他的書桌，」麥西伯伯承認，臉頰紅了起來。「巴弟在被綁架前，一直在蒐集侵略性甲蟲莫名其妙出現在不尋常的棲息地的報告和資料。我問過我們的老朋友新聞記者愛瑪·蘭姆，看她能不能調查一下。我還在等她回覆。」

薇吉妮亞將法布林計畫的照片推到咖啡桌對面，指著三張陌生的臉孔。「你認識這些人嗎？」

「認識。」麥西伯伯指向一個體格健壯、高大的金髮男人。「那畜牲是亨里克·蘭卡，化學家，是個惹人厭的傢伙。他跟露西交往過一小段時間。丹妮，」他又指著一個身材嬌小、戴著圓框眼鏡的女人。「是你媽媽的好朋友。」接著嘆口氣說，「可惜發生了不幸。」

柏托特倒抽一口氣，「她死了嗎？」

「沒有，不過，」麥西伯伯閉了一下眼睛，「她的狀況不好。」

「她住在倫敦嗎？」薇吉妮亞問，「我們可以問她一些問題嗎？」

麥西伯伯搖了搖頭。「她是法國人，來自羅亞爾河谷的一個小村莊，我不確定她是否歡迎我們去拜訪。」

「那他呢？」薇吉妮亞指向那組人之中最後一位陌生人。

「石川佑樹博士。」麥西伯伯露出笑容，「日本的微生物學家，是個討人喜歡的傢伙，非常多才多藝。他以前經常在脖子上掛著一個裝蟋蟀的小竹籠，在工作時任由昆蟲在實驗室裡到處跑。他說牠們的歌聲有助他思考。」

「就像艾波亞教授冥想室裡的那些蟋蟀。」柏托特說。

麥西伯伯點頭。「我想，他跟安德魯是好朋友。」

一想到艾波亞教授昏迷不醒的躺在醫院病床上，大家頓時心情沉重，陷入沉默。

「那麼，石川博士還活得好好的嗎？」薇吉妮亞說。

「我最後聽到的消息是，他到格陵蘭去做研究了。」

「格陵蘭有點遠啊。」柏托特嘆氣。

「我們需要查清楚那些侵略性甲蟲暴增擴散的事件，是否跟盧克莉霞．卡特的基改甲蟲有關係，」達克斯說出心中的想法，「不過首先，我們必須把我爸爸找回來。如果他是要加入盧克莉霞．卡特，那我們就知道該去哪裡找他了。」

「陶靈大宅。」薇吉妮亞點頭說。

「也許已經太遲了，」柏托特指出事實，「現在快十一點了。他說不定已經離開了好幾個小時。」

「我們總得試試看。」達克斯站起來，「我有種可怕的預感，覺得他正走進陷阱。」

「我們沒辦法再進去那裡了。」麥西伯伯撓了撓下巴。

「我們可以帶甲蟲去，」薇吉妮亞提議，「牠們可以進去找他。」

「喔，天啊。」柏托特坐立不安，緊張兮兮的把兩根拇指互相繞來繞去。「萬一我們被逮到了怎麼辦？我不希望被關進盧克莉霞·卡特的牢房裡。要是我媽早上醒來發現我不在床上，她一定會驚慌失措。」

「你可以和牛頓一起待在這裡，」達克斯說，「記下我們所知道關於法布林計畫小組的事，還有關於侵略性甲蟲的報導。」

「謝了。」柏托特如釋重負的朝他露出笑容。

達克斯看向麥西伯伯。「你可以載我們到陶靈大宅嗎？」

「我很樂意。」麥西伯伯重新戴上帽子。

「我們在走到車子的途中，先去甲蟲山挑選一些志願者。」達克斯說，他已經站在門口了。

薇吉妮亞跳了起來。「你們不准丟下我。」

「我連做夢都不敢想呢！」達克斯朝她露出揶揄的笑容，「你一定會大吵大鬧。」

薇吉妮亞揍他肩膀一拳。

「**哎喲！**」達克斯揉揉手臂，「幹麼打我啊？」

薇吉妮亞得意的笑著快步超過他。「讓你變得強悍一點啊。」

13 馬克白夫人

到了女皇飯店後，諾娃被迅速帶到樓上的卡特套房。瑪泰指著更衣區邊緣的一張紫色織錦椅子，諾娃低下頭，順從的走過去坐下，等坐下後才發現站在她前面的是史黛拉．曼寧，世界上最受推崇的女演員。

史黛拉．曼寧以演出莎士比亞的舞臺劇和獲獎無數的電影角色出名。她的臉蛋像磁鐵一樣能吸住目光，讓人移不開視線。她沒有化半點妝，紅色長髮紮成高馬尾，看起來美極了。

「穿上這件禮服，」瑪泰噘起金色嘴脣，「你無可匹敵的女演員地位將不容置疑。」她彎下身體，用拇指跟食指拿起那件綠色長裙，抖動一下布料，讓長裙在地板上呈波狀散開。

當諾娃看見那件禮服是用數百隻翡翠綠的吉丁蟲裝飾時，感覺一陣厭惡。那些死掉的甲蟲好可憐！她心裡想著，一面伸手護住腕上的手鐲。禮服上的吉丁蟲跟赫本是不同品種——她以前沒見過——不過，諾娃還是不想讓赫本看到或聽到那件禮服的事。

「這件禮服叫做『馬克白夫人』，靈感來自女演員愛倫．泰瑞在一八八八年所穿的禮服，在約翰．辛格．薩金特的名畫中曾經描繪過。」

史黛拉．曼寧凝視鏡中的自己，伸出手臂，一副準備指揮軍隊的樣子。「盧克莉霞，親愛的，你超越了自己。這件禮服非常的高雅。」她熟悉的聲音聽起來像沾滿蜂蜜的砂紙。諾娃看得出來史黛拉．曼寧很喜歡喇叭袖的形狀，從肘部開始變寬，變成天鵝絨的喇叭，強調了她的每一個手部動作。

「這件禮服的束腹是用彈性纖維做的，可以收緊你因為懷孕而鬆開的皮膚。你注意到了嗎？」

史黛拉．曼寧喃喃說她看見了。她注視鏡中自己的倒影，兩手擱在束腹塑造出的小蠻腰上。「好像看著年輕的我。」

「這是件效果強大的禮服，專門為舞臺上的王后設計，端莊得體卻又撩人。」盧克莉霞．卡特宣稱。

「我演過這位蘇格蘭國王的妻子很多次，這名字會帶來霉運啊。」史黛拉．曼寧皺了皺眉，輕輕撫摸深綠色長禮服的上半身。「為了電影獎，我會需要所有的運氣。」她看著盧克莉霞．卡特。「我不再年輕了。」

「像你這樣才華橫溢的女演員不需要運氣，」盧克莉霞．卡特愉快的輕聲說，「你真的要讓愚蠢的迷信阻止你穿這件禮服嗎？」

史黛拉曼寧皺起眉頭。

「這件禮服我是專為你設計的，顏色完美襯托你的髮色及膚色。」

「確實，」史黛拉．曼寧同意，「我看起來叫人驚豔。」

「不過，如果你不想要，我會找別的女演員來穿。」諾娃看著史黛拉．曼寧因為迷信而天人交戰。瑪泰扭頭看向別處。「也許找小露比．希梭羅？」

「不行！」史黛拉．曼寧厲聲說，她的臉龐頓時因為嫉妒而變得醜陋。「不准找那個被過度吹捧的女服務生。」

「她長得很漂亮啊，」盧克莉霞．卡特小聲說，「聽說是下一個巨星呢。」

「這禮服太美了，絕不可能帶來壞運。」史黛拉．曼寧宣布，「我愛死了。」她轉身注視著盧克莉霞。「我要買下來。」

盧克莉霞．卡特搖搖頭。「這是非賣品，不過如果你願意穿這件禮服去參加電影獎頒獎典禮，我會感到非常榮幸。」

「真的嗎？你要借給我？」

「電影獎將是我至今最精采的時裝秀，」盧克莉霞．卡特回答，「這件禮服是為真正的表演藝術家創作的，要是傑出的史黛拉．曼寧願意穿『馬克白夫人』去參加頒獎典禮，我會感到很榮幸。」

史黛拉．曼寧慢慢轉過身去，無法將視線從自己的映像挪開。

「你穿上這件禮服，全世界都會看得目瞪口呆，為你傾倒。」盧克莉霞·卡特聲音宛如耳語。

「沒錯。」史黛拉·曼寧點了點頭，「你是這方面的藝術大師，真的是。」

「這件禮服如果不是由**你**來穿，效果就會差多了。」盧克莉霞·卡特的金色嘴脣抽動了一下，「你們組合起來，將會帶來爆炸性的效果。」

諾娃覺得瑪泰看起來像隻飢餓的貓，準備吞掉絲毫沒起疑心的老鼠。她好奇為什麼這次電影獎那麼重要。過去瑪泰向來拒絕為參加頒獎典禮的名人提供服裝，說那會貶低她的作品；而此時此刻，她幾乎是在求女演員穿她的禮服出席電影獎。諾娃直盯著「馬克白夫人」。難道跟這件禮服有關係嗎？

「我現在可以帶走嗎？」

盧克莉霞·卡特搖頭。「這禮服禁止發表。頒獎典禮那天早上，我的工作人員會送去給你，幫你著裝，然後開車載你到典禮會場。」她向傑拉德示意，傑拉德走上前去。「在你跨出豪華轎車、踏上紅地毯前，我不想讓任何人看到這件禮服。」

史黛拉·曼寧看了傑拉德一眼，心不甘情不願的脫下禮服，然後嘆一口氣轉過身去，好讓他幫她解開衣服。傑拉德轉頭別開目光，女演員小心翼翼的從禮服中跨出來，只穿著內衣站著，拉了拉腹部的皮膚。

「遺憾的是這世界不喜歡生過寶寶的肚子。」女演員無奈的嘆了口氣，「你也討厭你的嗎？」

「我的？」盧克莉霞．卡特皺眉。

史黛拉．曼寧看一眼諾娃，再把視線轉回到盧克莉霞．卡特身上，一臉困惑。

「喔，我明白了。不，我是用代理孕母生下諾娃的。」瑪泰回答，臉上毫無表情。

「我的工作非常重要，不能被懷孕打斷。」

「喔！」史黛拉．曼寧的眼睛迅速瞥向諾娃。

諾娃用空洞的眼神回視她。她一直知道自己是在試管中生長，再由別的女人生下來，但是她不知道那個女人的名字。傑拉德叫她「送子鳥」。

史黛拉．曼寧對她微微一笑。「諾娃這名字很好聽。」她拿起黑色喀什米爾羊毛衣，從頭上套下去。

「我是用手提包的名稱幫她取名的。」盧克莉霞．卡特用平淡的聲調說，「她是個很棒的配件，你不覺得嗎？」

諾娃一動也不動。她曉得人家在審視她。傑拉德告訴過她，她的名字是來自一位在黑白電影時代非常有名的電影明星。他給她看過照片，是個淡金色頭髮的美麗女人，名叫金．諾娃[1]。

1 Kim Novak：一九五〇年代知名的美國演員，又譯為金．露華或金．諾瓦克。

「手提包？哈！」史黛拉．曼寧拿起牛仔褲，先穿上一腳，再把另一腳伸進貼合身材的丹寧布裡。「對了，諾娃。獲得電影獎提名你一定很興奮吧？這可是難能可貴的榮譽。」

諾娃點一下頭。

「要是沒得獎也不必失望。光是入圍就是很了不起的成就了。」

諾娃再次點頭。

史黛拉．曼寧用帶點同情的眼光看了她一眼，然後轉向盧克莉霞．卡特，她正盯著傑拉德輕輕將「馬克白夫人」放進衣箱。「謝謝你讓我穿你的禮服，盧克莉霞。」她穿上皮夾克，再拿起放在邊櫃上的墨鏡。「我很期待今年的頒獎典禮。」

「我也是，」盧克莉霞．卡特說，臉上綻開令人不安的笑容。「這將是影藝學院歷史上最令人難忘的頒獎典禮。」

在史黛拉．曼寧轉身面對鏡子戴上墨鏡時，門打開了，一個男人走進房間，他的身材又高又瘦，頭髮是淺茶色，眼睛非常藍。

「啊，親愛的，進來吧。」盧克莉霞．卡特走上前去。

諾娃克制不住自己，大叫一聲跳起來。

站在她前面的是達克斯的爸爸。他理了頭髮，鬍子也剃掉了，不過絕對是他沒錯。她可以看見他脖子上的疤痕，就跟她自己身上的一樣，那是獵椿留下的傷疤。

所有人都盯著她看。

「怎麼了？」盧克莉霞・卡特的聲音像鞭子一樣變了調，用眉筆描過的眉毛挑得高高的。

諾娃坐回原位，眼睛直盯著地板。「對不起，瑪泰。我……我不知道你認識他。我以為他是自己闖進來的。」

「笨孩子，」盧克莉霞・卡特大笑，「巴索勒繆，容我向你介紹史黛拉・曼寧，我們這時代最出色的女演員。」

諾娃的胃打了個結，她看著達克斯的爸爸握住史黛拉・曼寧伸出的手，並且彎下腰去親吻一下。「當然，」他說，「我很榮幸認識你。」

諾娃仔細查看他的表情是否有悲傷痛苦的跡象，但是沒看到任何蛛絲馬跡。她氣得渾身發抖。他難道不在乎發生在達克斯身上的事嗎？達克斯為了救他不顧一切危險。他為什麼還能那樣對著她微笑？

諾娃既害怕又氣得冒泡，達克斯的親生爸爸竟然背叛了他。

她看著瑪泰伸手摟住達克斯爸爸的腰，親吻一下他的面頰。「史黛拉，這位是我最親愛的老朋友，巴索勒繆・卡托。在分別十多年後，我們再度一起共事，要合作一個非常大的計畫。」

14 黑漆漆的大宅

達克斯把頭伸到車子前座之間，薇吉妮亞對坐在他頭上的綠虎甲蟲咧嘴笑了笑。麥西伯伯把排檔換到三檔，車子在康登街道上像兔子一樣跳躍著前進，奔向攝政公園和陶靈大宅。

「你打算怎麼跟你爸說？」薇吉妮亞問，「他見到我們可能會不高興。」

「我不知道。」達克斯皺了皺眉，回想他們那天晚上的爭吵。「我必須讓他明白他有危險。」他聳了下肩膀。「就算他對我大吼，我也不在乎。」

「我只希望他在跑去當英雄之前，先跟我商量一下。」麥西伯伯說，「我們都站在同一條陣線上啊，拜託。」

「是嗎？」薇吉妮亞問，「我們怎麼知道？我們不曉得達克斯的爸爸打算怎麼做。」

達克斯張嘴想要反駁，說他們都在為同樣的目標奮鬥，不過他必須承認，爸爸的行為確實很奇怪。萬一他想跟盧克莉霞．卡特在一起呢？萬一她的甲蟲研究太過吸引人，他抗拒不了呢？萬一爸爸是嫌達克斯礙事，所以才要麥西伯伯帶他去威爾斯呢？

車裡瀰漫著尷尬的沉默。

達克斯抬起手將巴克斯特放到手掌上，直視他朋友閃亮的眼睛。他朝兜蟲笑了笑，兜蟲張開嘴巴，微笑回應。至少爸爸不在，就不會再提到要他放棄巴克斯特的事。他低頭看向後座排列在他兩邊的甲蟲：一隊堅實的甲蟲大軍，有對抗黑暗的發亮螢光叩頭蟲，力大無窮的美東白兜蟲，擅長發射酸液的放屁蟲，以及咬起人來凶猛無比的泰坦大天牛。牠們現在都是經驗豐富的戰士了；自從尼爾遜街大戰後，達克斯就一直和牠們一同訓練。

他輕輕撫摸巴克斯特的翅鞘。「我們把甲蟲送進陶靈大宅的時候，應該叫牠們去檢查一下牢房，尋找史賓賽．克里普斯。」

「好主意！」薇吉妮亞點頭，「另外，我們要密切留意黃色瓢蟲。」

「黃色瓢蟲？」麥西伯伯說，「昨天在前廳有一隻非常大隻的。」

薇吉妮亞和達克斯猛然轉頭。

「不過，」麥西伯伯壓低聲音，誇大的用氣音說，「我恐怕不小心用鞋底把牠踩扁了。」

薇吉妮亞噗嗤大笑，麥西伯伯挑了挑眉毛。

「我絕對不會讓盧克莉霞．卡特的眼線待在我家裡。」

儘管時間很晚了，康登鎮上仍然到處都是喝酒狂歡、走路搖搖晃晃的人。他們越接近陶靈大宅，達克斯就越緊張不安。自從他們突襲了盧克莉霞．卡特的牢房救出爸爸之後，他就沒再回到這棟白色大宅。他搖了搖頭，還是無法相信爸爸會自願走回那棟屋子裡。達克斯感覺指甲掐進手掌，這才發現自己把拳頭握得緊緊的。

他望出窗外，倫敦動物園熟悉的綠地在他們左手邊。麥西伯伯靠邊停車。「我不想開得更近了，以免車子被認出來，」他回過頭說。

達克斯點點頭。這輛薄荷綠的雷諾四號老車很容易留下印象。

他們小心翼翼的下車，整群甲蟲跟在達克斯後面，好像快速移動的影子。他們走近大宅時，達克斯意識到心臟像低音鼓一樣重重的敲擊。熟悉的磚牆聳立在他們面前，牆後面是高大的紫葉歐洲山毛櫸樹籬。

「你爬得過去嗎？」達克斯悄聲問麥西伯伯。

「小子，不用擔心我。」麥西伯伯伸長手一跳，使勁把身體往上拉，翻過了圍牆。達克斯聽見砰的一聲，他在牆的另一邊安全著地。

薇吉妮亞彎曲膝蓋，雙手緊握在一起，讓他能踩著上去。達克斯把腳踏上她的雙手，不一會兒就坐到了牆頭上。他伸手去抓薇吉妮亞的手，把她拉上來，坐到他旁邊。兩個孩子一齊落地的同時，甲蟲也匆忙爬上牆翻了過去。達克斯跟薇吉妮亞扭動身體，鑽過紫葉歐洲山毛櫸樹籬，同時用手臂遮著臉，避免刮傷。

麥西伯伯站在地面鋪得像棋盤的大院子邊緣。「整間屋子黑漆漆的呢。」他悄聲說。

「現在很晚了嘛。」達克斯回答。

「車道上沒有半輛車，」麥西伯伯指出，「而且車庫門上有一把大掛鎖。我想屋子裡沒人。」

達克斯仔細查看每扇窗戶，想要找到一絲光源，但是毫無收穫。一樓所有的護窗板都關著。他輕手輕腳的跑過院子，把臉貼到玻璃上，兩手窩成杯狀圍在眼睛四周，從護窗板的板條中間窺視，依稀看出一個巨大的白色形影。他離開窗戶邊，皺起眉頭。

「家具都蓋著床單。」他看向麥西伯伯。

薇吉妮亞直接跑到黑色的前門去。她跪下來，把手指伸到信箱裡，掀起信箱蓋，努力查看裡面。「信箱是空的。」她小小聲說。

「這屋子封起來了。」麥西伯伯說，「沒人在家。」

「不會吧。」達克斯的聲音顫抖，「那我爸在哪裡？」

麥西伯伯走到薇吉妮亞身邊，砰砰砰的敲打黃銅製的金龜子門環。達克斯和薇吉妮亞嚇了一跳。「你在幹什麼？」薇吉妮亞瞪大眼睛往後退。

「我在確認有沒有人在。」麥西伯伯回答。

達克斯屏住呼吸，緊盯著門，不過沒有人出來。他垂下肩膀，這才又開始呼吸。

「我們繞到後面去看看好嗎？」薇吉妮亞建議，知道沒人在家以後，她的膽子大了起來。「或許可以找到一些線索。」

達克斯點點頭，他們躡手躡腳的繞到建築物的側面。

「大家都去哪裡了？」達克斯悄聲說，「諾娃在哪兒？」

「達克斯，這不是盧克莉霞・卡特唯一的房子，」麥西伯伯回應，「她可能在任何地方。」

「要是爸爸來到這裡，發現屋子封起來了，也許就回家了。說不定他現在就在家裡，納悶我們到哪裡去了。」達克斯抱著希望說。

「那邊有僕人的出入口。」薇吉妮亞大步穿越白色碎石車道，走到一扇藍色的門前，把耳朵貼到門上。就在這時，門突然打開，薇吉妮亞一個不穩跌進一名婦人的裙子裡，那人尖叫起來。

薇吉妮亞一邊飛快的後退一邊大叫，麥西伯伯和達克斯衝上前去。屋裡的婦人看到達克斯，叫得甚至更大聲了。

麥西伯伯舉起雙手。「沒事！沒事！我們沒有惡意。」

「是你！那……那個甲蟲男孩。」婦人倒吸了一口氣，臉上寫滿了震驚。「你死了啊！她開槍射死你了！諾娃說的！」

「哈囉，米麗。」達克斯露出微笑，「她的確開槍射了我，不過我沒死。」

「好心的女士，真是萬分抱歉哪。」麥西伯伯彬彬有禮的鞠了個躬，「我們不是故意嚇你的。」

米麗氣呼呼的看著麥西伯伯。「把門敲得乒乓響的是你嗎？」

「啊，是的，對不起。」麥西伯伯清一清喉嚨，「我以為沒有人在。要是吵醒你的話非常抱歉。」

「你害我嚇了一大跳。」米麗說，一手放在心口上，試著平靜下來。然後她看向達克斯。「你要是在找小小姐的話，她不在。他們全都不在，去美國參加電影獎頒獎典禮了。」

「米麗，今天晚上有人來這裡嗎？」達克斯問，「鬍子剃得很乾淨，頭髮短短捲捲的，淺茶色中帶點灰，眼睛是藍色……」

「不到兩小時前，有兩個可怕的男人到這裡，一個體型龐大、光頭，另一個瘦巴巴的，有點瘋癲。他們一直砰砰砰的敲門，堅持說他們和卡特夫人有約，說她欠他們錢。」

薇吉妮亞抓住達克斯的手臂。「是亨弗利和皮克林！」她低聲說。

「我說她已經離開了的時候，他們不相信我，我只得關上門，結果他們竟然砸破窗戶！後來我說要報警，他們才離開的。」米麗再度把手放在心口上，「所以你在敲門時，我以為是他們回來搶劫。」

「我可以向你保證，我們絕對沒有那種意圖。我的名字叫麥西米廉．卡托，我們在找我弟弟。」

「喔，不好了！我忘記了！」米麗的兩手飛快摀住臉頰，接著伸手到白色圍裙裡拿出一個淡紫色信封。「你是住在尼爾遜街的那位麥西米廉．卡托嗎？」

「嗯，是啊。」麥西伯伯點頭。

「那麼這封信是給你的。我很抱歉，我本來打算今天晚上稍早的時候送去給你的，不過那兩個男人跑來敲門大吼大叫，我就把這事給全忘了。」

「信上寫什麼？」麥西伯伯撕開信封，達克斯問。

「幸好你來了。」米麗搖了搖頭，「否則忘記這種事，我一定會覺得很難受。我答應小諾娃會儘快把信交到你手上。」

「達克斯，」麥西伯伯猛然抬起頭來，聲音聽起來很急迫。「盧克莉霞．卡特知道甲蟲在哪裡了，她打算燒掉牠們。」

達克斯腳步踉蹌的往後退，驚恐的張大嘴巴，淚水刺痛了他的眼睛。「我們得回去！我們必須救他們！」

「柏托特在那裡！」薇吉妮亞驚叫起來，眼裡充滿恐懼。

於是他們踩在碎石子路上拔腿狂奔，順著車道回到車上，回去尼爾遜街。

15 森林大火

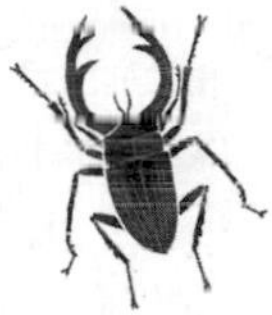

柏托特把頭從報紙上抬起來。牛頓在他頭部四周急速飛來飛去，好像發瘋一樣忽明忽滅的閃著光，朝他的臉俯衝。

「牛頓，怎麼了？」

他將報紙折起來放到工作臺上。他一直在看有關盧克莉霞·卡特突然決定出席電影獎的新聞。報紙證實了他的想法：以前盧克莉霞·卡特譴責過頒獎典禮，拒絕出席，因為她嫌頒獎典禮粗俗，她甚至特地點名電影獎，批評它尤其空洞。那篇報導的作者不知道她的態度為什麼有了一百八十度的大轉變，不僅出席頒獎典禮，而且還為所有入圍最佳女主角獎的演員提供服裝。

柏托特懷疑盧克莉霞·卡特是因為諾娃的緣故才改變心意，但是照達克斯所說，她對女兒相當冷酷無情，所以似乎不大可能。她也不需要媒體關注；她平常就老是在上報。柏托特搔一搔額頭。他想不出盧克莉霞·卡特會想參與電影界盛事的好理由。除非她確實不想……可是，那她為什麼要去參加頒獎典禮呢？

牛頓咻的飛到他面前，撞到了他的眼鏡。

「對不起。」柏托特用力嗅了嗅。「出了什麼事？」一股嗆人的味道充斥鼻腔。「牛頓，你有聞到燒焦的味道嗎？」

牛頓在柏托特的面前盤旋，忽明忽滅的閃著光。

「**火災？**」柏托特解讀出摩斯密碼後大叫一聲。

他跑到門前，用力把門打開，順著主通道快速爬到梧桐樹旁。他必須離開家具森林。要是著了火，他會被活活烤熟！

他從折疊桌下面衝出去，卻突然停下來。大賣場的後門開著，熊熊火焰從人孔噴出。

「不！」他尖叫著跑到門口，腦中浮現茶杯裡成群甲蟲被活活燒死的可怕影像，眼淚順著臉龐流下。濃煙嗆得他咳嗽，熱浪逼得他往後退。

嚇壞了的甲蟲從門口飛奔而出，在空中拍動著翅膀，搞不清楚狀況的鞘翅目互相撞在一起，掉到地上，牠們的翅膀在大火的高溫中熔化了。

「**到我這邊！到我這邊！**」柏托特用高亢的聲音大喊，「甲蟲，飛到我這邊來！」

他奮力往前走，跪到地上，儘量多撈些甲蟲放到肩膀上，同時，許多甲蟲降落在他的頭髮上。一列列的甲蟲費勁的爬上他的雙腿。

他回頭看一眼家具森林。那裡是布滿朽木的死亡陷阱，要是那裡著了火，他要離得遠遠的。他看向大賣場後門。他得出去到安全的街上，但是若要出去，他必須奔跑穿越燃燒的建築物。他必須快點行動，後廚房也出現火光了。

柏托特用雙臂遮住臉往前衝，熱氣直逼皮膚。他記得消防隊員曾到過學校，告訴他們火災時最危險的不是火焰，而是濃煙。有毒的煙霧可以讓你在幾分鐘內昏倒。

他抬起頭看。有一團蘑菇狀的深色濃煙來勢洶洶，貼著天花板逐漸擴大。他把套頭毛衣拉起來罩住嘴巴，快速向前衝過著火的廁所，跑進小廚房，穿過拱門，進入荒廢的商店。

但是他猛然急踩煞車。

商店門口站著一個像座大山的男人，還有一個骨瘦如柴的人影緊抓著他的手臂。

「**是那個小子！**」皮克林尖聲大叫。

「**抓住他！**」亨弗利咆哮著說。

柏托特跌跌撞撞往後退，轉身再次飛奔穿過燃燒的廚房。他的眼淚流個不停，害他看不見，不過他曉得門在哪裡。他衝進後院，甲蟲緊抓住他身體的每個部位。

「牛頓！」他大聲喊，閃爍不定的

螢火蟲俯衝下來。「去找基地營的螢火蟲，為倖存的甲蟲照亮逃生的路。」

甲蟲將柏托特當成救生筏，爬到他的背部和肩膀上，聚在一起。能夠飛行的甲蟲們一一起飛，加入螢火蟲的行列，去幫忙營救牠們的兄弟姊妹。柏托特跪到地上，快速的在折疊桌下爬。

「他在哪裡？」他聽見亨弗利大喊。

柏托特的心臟跳得比蜂鳥振翅的速度還快。他打開開關，設下老爺鐘陷阱，再急忙爬回家具森林的迷宮裡。

「在那裡！」皮克林大叫大嚷著說，「他跑到那張桌子底下了。」

柏托特來到腳踏車堆成的大拱門前，往右邊的糞球大道看去。他不想引皮克林和亨弗利到基地營。後頭傳來撞擊的聲響，緊接著是一聲痛苦的哀號，皮克林成為老爺鐘鐘擺的受害者。柏托特想像鐘擺強勁的往下擺盪，砸中皮克林的頭，感到一瞬間的滿足。

「啊！亨弗利！那小子用劍打中我的臉！我流血了！」

柏托特低頭查看，甲蟲聚集在他的小腿和兩手周圍的水坑裡。「爬上來吧，」他悄聲說，「我們必須離開這裡。」他轉身背對著糞球大道，走向敲敲擬步行蟲通道，試圖以最快的速度前進，匆忙爬到「牡蠣」旁——那是他和薇吉妮亞為了應付緊急情況而建造的安全艙。這個安全艙以兩個浴缸組成，一個上下顛倒放置在另一個上面，後面再用巨型鉸鍊連接在一起，他還安裝了從舊彈珠臺取出的四根彈簧，以便輕鬆舉起上面的浴缸。柏托特抬起浴缸。

「好了，你們全部進去裡面，」他小聲對甲蟲說，「在這裡等到我可以回來找你們為止。」

所有的甲蟲或飛或滾，掉進空浴缸裡。

「我會儘快回來。」柏托特闔上牡蠣，然後急忙爬回到大拱門。

「滾開，別擋路，」亨弗利對他哭哭啼啼的表哥大吼，「我要壓扁那隻小蟲子！」亨弗利拆下家具森林裡的折疊桌，往後面一扔。柏托特聽見響亮的撞擊聲。

「牛頓！」柏托特呼喚螢火蟲，牠正在家具森林上方飛舞。「我需要光環。必須讓史瑞克看到我。」

亨弗利四肢著地，想要擠進兩座衣櫥中間，這兩座衣櫥就像睡著的流浪漢互相靠在一起。

牛頓和一串蟲蟲兄弟原本在家具森林上空找尋倖存的甲蟲，此時俯衝下來在柏托特的頭上圍成一圈。

「我看到你了！」亨弗利興奮的用帶著威脅的語氣大叫。

「喔，不要！請不要抓我！」柏托特大喊，暗自希望亨弗利會上鉤。「救命啊！誰來救救我！」接著他轉向左邊，倉促爬過一條很少使用的通道，裡面有個地方突然變窄。他一直在等待測試陷阱的機會，拿亨弗利做測試最適合不過了。

這通道是個死胡同，有座沉重的橡木櫥櫃阻擋去路。柏托特打開櫥櫃的櫃門，扭動身體鑽過他在櫃子後面割出的小圓洞；在櫥櫃的另一邊，有個馬桶座圈用螺絲釘鎖在木頭上，框住那個圓洞。柏托特暗自偷笑，亨弗利絕對沒辦法穿過那個洞。

「我來收拾你了！」亨弗利大聲喊，邊悶哼邊吃力的爬向櫥櫃。「你敢放火燒我的房子，我要好好教訓你。」

「求求你不要啊！」柏托特大喊著循原路折返，穿過椅腳來到一個窺視孔。他看著憤怒的亨弗利氣喘吁吁、手腳並用的爬過去後，再悄悄將一塊塑合板滑到通道上，塞進另一邊兩座書架之間的狹縫中，再將一座沉重的大理石壁爐推過去靠在塑合板上。亨弗利被困住了。

柏托特覺得膽子大了起來，他急匆匆的跑回馬桶座圈前，從洞裡探出頭去。「你被困住了，你這個可惡的大惡霸！」他對亨弗利說。

亨弗利像頭發怒的公牛噴著鼻息，想退出通道。他用兩腳踢著塑合板，可是沒有用。他沒辦法從原路出去。

「卑鄙的小鬼，你幹了什麼好事？」

「你被困在我的馬桶座圈陷阱裡了。」柏托特得意洋洋的大聲說，「你活該，誰叫你放火燒甲蟲。」

「我才沒有放火燒甲蟲！」亨弗利大叫，「我幹麼要放火燒掉我剩餘的家？」

柏托特眨了眨眼。一陣恐懼的寒意向他襲來。如果不是亨弗利跟皮克林縱的火，那肯定就是……「盧克莉霞．卡特。」他說出聲來。

「放我出去！」亨弗利大叫。

「說實話，我辦不到。抱歉，」柏托特喊著回話，「我一個人不夠強壯。」

「什麼？」亨弗利劇烈的扭來扭去，一下用腳踢、一下用肩膀去撞這個家具牢籠，最終他明白自己完全被困住了。

柏托特從櫥櫃後面的圓洞把頭縮回來。「對不起啦！」他說著咧開嘴笑。

亨弗利的鼻孔張大。「什麼，你這小鬼！」他咆哮著說，把頭擠進櫥櫃，像瘋狗似的齜牙咧嘴，想要咬柏托特。「我出獄可不是為了被一個戴著蝴蝶領結，長得很可笑的花栗鼠給困住！」他的臉從櫥櫃後方伸出去，框在馬桶座圈中間。

柏托特衝上前，抓住馬桶座圈的外框，轉了個九十度。

亨弗利想要把頭從圓洞縮回去，可是辦不到。他完全卡住了。

「好啦，我一會兒就回來。」柏托特說著揮了揮手，儘速返回大拱門那裡。

他還沒看見皮克林就先聽到他的聲音。

「**我的古董！不！喔，不！**」

在家具森林與大賣場的交集處，柏托特看見火焰已經燒到腐朽的桌椅。皮克林幾乎完全被火焰包圍，他正跳來跳去，用一塊舊地毯撲打火焰。

「嘿！」柏托特呼喊，「皮克林！」

皮克林轉過身來，眼神瘋狂。柏托特躲回家具森林裡，儘速跑向離糞球大道不遠的通道，那條通道上有糾結網陷阱。他趴到地上扭動身體鑽進去，只留兩隻腳露在外面。

「牛頓，」他壓低聲音說，「讓他看到我的腳。」

一會兒後，他聽見皮克林欣喜的尖叫聲。「我看到你了，你這個小流氓！」

柏托特把腿收回來，改成蹲的姿勢。他在黑暗中把手伸到頭上，找到梯子後悄悄爬上去。他屏住呼吸觀察底下的皮克林，皮克林像條憤怒的蛇趴在地上，扭動著身體爬進烏漆抹黑的糾結通道。

「我會抓到你的，你這個小偷，等我抓到你的時候，我就要……哎呀！這是什麼？黏糊糊的。呸，什麼東西？把它拿開！哎喲！喔，幫幫我啊！亨弗利！」

柏托特閉上雙眼，想像一條條用釘書針釘在地上、懸在黑暗中的捕蠅紙轉移了皮克林的注意力，讓他沒留意到通道地上的金屬絲圈套。

「放開我的腿！亨弗利？是你嗎？哎喲！」皮克林發出一連串的咒罵和牢騷，身體不斷扭來扭去，卻被黑繩、金屬絲圈套，以及屠夫用來捕蠅的黏性紙所構成的羅網纏得更緊。

「小子，你聽得見我說話嗎？」他大聲說，「你肯定以為自己非常聰明吧，不過你最好祈禱我永遠出不去，因為如果我出去了，我一定會找到你，然後讓我表弟把你烤成肉餅**吃掉！**」他哈哈大笑，咯咯的笑聲讓人毛骨悚然。「**還要淋上蔓越莓醬！**」

柏托特悄悄爬上梯子，來到豎立在院子中央的床架上。梧桐著火了，森林的外圍在燃燒。當他看見家具起火得多麼迅速時，感到一陣恐慌。火焰沿著牆壁蔓延，擋住所有逃出的生路。

16 營救與毀滅

尼爾遜街在黑暗中隱約可見，奇怪的橘紅光從後方照亮大賣場的剪影。

「天哪！」麥西伯伯用勁一腳踩在煞車上，雷諾四號發出尖銳的聲音緊急停住，把大家都往前一甩。他跳下車子。

達克斯將巴克斯特從肩上拿下來，放到後座和其他的甲蟲在一起。「待在車上。」他說。

巴克斯特不肯被留下，用強有力的爪子緊抓住達克斯的手不放。

「巴克斯特，太危險了。」他一面說，一面意識到他對巴克斯特說的話正是爸爸對自己說過的，因此他不再和甲蟲爭執。巴克斯特想救自己的家人完全合理。兜蟲意志堅決，快步順著達克斯的胳膊爬上他的肩膀，保持警覺的站著看向前方。

達克斯下了車，站在伯伯和薇吉妮亞的旁邊，凝視著熊熊燃燒的建築物。

「柏托特！」薇吉妮亞尖聲大喊。達克斯和麥西伯伯還來不及阻止，她就已經衝進大賣場的廢墟中。

「不行！」麥西伯伯立刻追在她後面，「薇吉妮亞，回來！」

達克斯的兩腳像混凝土一樣，將他一動也不動的釘在原地。這場大火是從哪裡來的？甲蟲在哪裡？

「達克斯！」他聽見薇吉妮亞大喊，「家具森林起火了！柏托特在裡面！」

於是他也拔腿跑了起來，跳過大賣場的瓦礫與殘骸。人孔蓋散發出的熱氣逼人，強烈的熱氣燒熔、烤焦了套頭毛衣的羊毛。他非常清楚下水道裡的甲蟲鐵定死了。

他抓下肩上的巴克斯特，捧在手裡貼近胸口。濃煙嗆得他不斷咳嗽、快要窒息，眼淚止不住的往下流。一波情緒如海嘯般衝擊著胸腔，他絆了一跤。就在摔到地上之前，一隻強壯的手抓住他的套頭毛衣背後將他拉起，使勁把他拉出建築物的後面。

「達克斯？你沒事吧？」麥西伯伯把他摟進懷裡。

達克斯點點頭，將甲蟲山如高聳地獄的影像推出腦海。

麥西伯伯驚慌的查看他全身。「那個傻丫頭，她已經消失在那團混亂當中了！」他指向梧桐後方家具堆裡的大洞，那裡原本擺了一張折疊桌。「進去裡面太危險了。」

達克斯看到梧桐著了火，火焰包圍了森林的邊緣。他將巴克斯特放回肩上，抓住麥西伯伯的袖子。

「打電話給消防隊。我會帶薇吉妮亞翻牆，到我們的院子裡。」他沒等回應就一頭栽進森林，找到濃煙密布的通道。他匆匆奔進糞球大道，將套頭毛衣拉上來罩住嘴巴。

「薇吉妮亞！」他大聲喊。

「達克斯，我在這邊。」

達克斯跟隨薇吉妮亞的聲音過去。她站在基地營裡。基地營空蕩蕩的，不過她指著牆壁。兩處陷阱的警報器在叮噹響，分別是馬桶座與糾結通道。薇吉妮亞看向他，他點了點頭。

「我去看馬桶座，你去檢查糾結通道。」

「等一下！」薇吉妮亞抓起柏托特工作臺上整齊折好的兩條茶巾，一把浸到他們用來盥洗的那桶水裡。「把這個綁起來，蓋住嘴巴。」

達克斯心存感激的接下溼布，兩人跑出基地營，一邊把毛巾蓋住嘴巴，牢牢繫住。

他彎下身體，急忙爬到馬桶座陷阱的邊緣，在轉角窺視。他看到亨弗利的頭從馬桶座圈伸出來，看起來像裱了框的豬頭標本，令他吃了一驚。達克斯循原路回去，在糾結通道旁遇見了薇吉妮亞。

「皮克林被困在那裡！」薇吉妮亞隔著布

含糊不清的說。

達克斯比向肩膀後面。「亨弗利在那裡面。」

「可是柏托特在哪裡呢？」她深色的眼睛驚慌的掃視四周。

大火的熱度逐漸上升，煙霧也越來越濃了。他們必須趕緊到安全的地方。

「安全的地方！」達克斯大叫，「牡蠣！」

薇吉妮亞的眼睛睜大，點點頭便跑了起來，沿著前往安全艙的通道狂奔，達克斯緊追在她後面。他們猛然從兩個浴缸前的缺口衝出來，薇吉妮亞抓住浴缸的一角，想要往上推。

「動也不動啊。」

達克斯立刻到她旁邊用力拉，可是倒置的浴缸開不起來。他們努力了一會兒後，達克斯放開手。

「他從裡面反鎖了，」達克斯大聲敲打浴缸底部，掀開茶巾大聲喊，「**柏托特！是我們！**」

匡啷一聲，上層浴缸突然打開，露出坐在下層浴缸裡的柏托特，他身邊圍繞著百來隻甲蟲。

「你這傻瓜！」薇吉妮亞一把抱住柏托特的臉，撞掉了他的眼鏡。「我還以為你死了！」她緊緊抱著他的頭，眼淚順著她的臉頰滾下來。

達克斯好奇如果在浴缸裡的是他，她是否也會像那樣摟住自己。

「**放開啦！**」柏托特用被悶住的聲音叫喊，「你快要悶死我了。」

薇吉妮亞露出笑容往後退。「你還活著！」

「甲蟲……」達克斯發覺自己說不出話來。

「我盡力了，達克斯，我真的盡力了。」柏托特緊閉著嘴脣，努力不哭出來。「但是亨弗利跟皮克林追著我，火又很燙，我只救出了這些甲蟲。」他低頭看著浴缸裡圍繞在身邊的昆蟲。「有些受傷了。」

達克斯閉上雙眼，感覺好像自己的一部分也燒傷了。那些既美好又聰明的甲蟲都死了。他往前倒下，抓住浴缸的邊緣。

「現在不是談論這件事的時候，地點也不對。」薇吉妮亞說，伸手放在他的肩上。「煙越來越濃了。我們必須趕緊離開這裡。」

達克斯傾身把兩手輕輕的伸進浴缸。「爬上來吧，小朋友們。」他低聲說。薇吉妮亞繞到柏托特的另一邊，做出同樣的舉動。

柏托特小心且費勁的爬出浴缸，依然有些甲蟲在他的肩膀和頭上。

「我們得去梯子那邊，翻過牆到你麥西伯伯家。」薇吉妮亞說。

「那整面牆上都是火，」柏托特說，「梯子也會著火的。」

「快去拿那個盥洗的水桶，我們要把火撲滅。」薇吉妮亞對達克斯說。

達克斯一刻也不耽誤。他全速衝進基地營，拿了水桶再跑回來。他踩在椅子上，爬上家具森林那層快要熔化的防水布。「我們先爬上來再過去，」他說，「這樣一來就能看到火在哪裡，也可以避開煙霧。」

「那亨弗利跟皮克林要怎麼辦？」柏托特說著，跟隨薇吉妮亞爬上椅子。「我們不能任由他們死掉。」

「麥西伯伯已經打電話給消防隊了。他們馬上會到。」達克斯回答。

「可是有濃煙耶？」柏托特說。

「他們的頭貼近地面，」達克斯回答，「煙會上升。他們不會有事的。」

「如果是**我們**被烤熟，**他們**才不會在乎呢。」薇吉妮亞毫不在意的說，伸手拉柏托特一把。

在他們爬過家具森林的頂部時，聽到了期盼的消防車鳴笛聲接近，給了他們力量。達克斯把那桶水潑在燒焦的梯子上，他們一個接一個安全的翻過牆。

三個孩子在麥西伯伯的廚房裡，從窗戶看著消防隊員將水帶對準家具森林。他們利用帶金屬鉤的棒子拆開火燙的家具，一邊搜尋受困的人，一邊撲滅在途中遇到的小火。

亨弗利跟皮克林從陷阱裡被救出來的時候，達克斯看見柏托特臉上浮現鬆一口氣的表情。他們渾身溼透，而且被燒到了一點點，不過活力十足，憤怒得像被惹惱的大黃蜂。亨弗利跑來跑去對消防隊員大吼大叫，皮克林則好像發了瘋，想要從曾經是他們的家具森林的那座燒焦垃圾山中搶救物品。他的頭部側面黏著一條捕蠅紙，散亂的頭髮纏結在捕蠅紙四周。一張報紙也黏在上頭，在風中飄動。他看起來很滑稽，但是沒有人有心情笑。

幾隻逃脫的甲蟲及時爬到窗臺，這些受了傷的困惑甲蟲先前脫了隊。巴克斯特、馬文和牛頓歡迎牠們，不過就這幾隻而已，之後就再也沒有甲蟲來了。

達克斯用烤盤為受傷的甲蟲造了個臨時醫院，在底部鋪上橡木的覆蓋物，在一端放了一堆水果和幾個茶杯。其他的甲蟲爬進房間黑暗的角落休息。

家具森林的大火被撲滅了，留下的殘骸好像遇難船隻燒焦後支離破碎的船體。

消防隊員收拾水帶時，救護車來了，將亨弗利跟皮克林帶走。麥西伯伯拉三個孩子離開窗口，命令薇吉妮亞和柏托特到車上去，要載他們回家。達克斯跟他們說再見後，和巴克斯特拖著沉重的步伐上樓去睡覺。

爬上吊床時，達克斯留意到清晨的藍色天光悄悄從天窗照射進來。他把吊床的邊緣捲起來，將自己緊緊包在黑暗中。他的兩手彎成杯狀護著異常安靜的巴克斯特，將牠抱在胸前。

逃出下水道大火的頂多只有六、七十隻甲蟲，成千上萬的甲蟲都死掉了。

甲蟲死了，爸爸也不在了。

盧克莉霞・卡特贏了。

17 每日新聞

亨弗利跟皮克林在救護車後面，面對面的躺在擔架上。

「這是什麼？」亨弗利抓起黏在皮克林頭部側面的捕蠅紙。

「啊！」亨弗利撕下那條捕蠅紙時，連著一層皮和一撮頭髮，弄得皮克林大叫。

「你幹麼那樣撕啊？」他用力搥亨弗利一下，不過他表弟連哼都沒哼一聲。他正在研究剛才黏在皮克林頭上的那張報紙上的文章。

「你在看什麼？」皮克林問。

「盧克莉霞·卡特。」亨弗利回答。

「什麼？給我看看。」皮克林從擔架上滾下來，跪著走到表弟旁邊。

亨弗利給他看盧克莉霞·卡特和諾娃的照片，旁邊是她為三位入圍女演員提供出席電影獎服裝的報導。「用陷阱困住我的小子——那個金髮的卑鄙小鬼——指控我們縱火。我說不是我們的時候，他提到她的名字。」

「那個卑鄙的小鬼怎麼會知道她的名字？」皮克林納悶。

亨弗利聳了聳肩。「不知道，不過要是盧克莉霞．卡特燒毀了我們的房子，那她欠我們的可就多了。」

「反正她本來就欠我們，」皮克林說，「我們簽了合約。」

亨弗利揮一揮報紙。「好啦，現在我們知道她在哪裡了。」他露出笑容，「我想我們應該去洛杉磯一趟，找她談談，甚至可能要去電影獎的頒獎會場。」

「喔，好極了！」皮克林高興的拍手，「我一直想去美國。」

亨弗利點頭揉了揉肚子。「他們那邊有巨無霸的漢堡。」

「盧克莉霞．卡特也許會帶我們去頒獎典禮，當她的貴賓。」皮克林說，兩手摀著心口，嘆了一口氣。

救護車停下來。

「快點，回到擔架上，假裝身體不舒服。」亨弗利用力把皮克林往後推，「我們今天晚上沒有床可以睡，而且住院的話，明天早上就有免費的早餐了。」

皮克林跳回擔架上，拉起紅色毛毯蓋住身體。「洛杉磯耶！」他喃喃自語，「要去見盧克莉霞．卡特了！真是棒極了！」

「等吃夠了醫院的食物，」亨弗利說，「我們就去機場。」

「等等，我們怎麼買得起機票？」皮克林坐直了身體，「我們沒有錢哪。」

「我們有你一生的積蓄。」亨弗利微笑。

「我存那錢是為了緊急時刻用的啊！」皮克林驚叫。

「現在夠緊急了啊，皮克林。」亨弗利嗤之以鼻的說，「要是有所謂的緊急時刻，就是在你的房子已經爆炸了，接著又燒毀的時候。」

18
龐巴迪噴射機

諾娃下了母親的車，踏上飛機跑道。她走向那架黑色龐巴迪里爾噴射機，機上裝飾著卡特女裝的金色金龜子商標。她專注的將手平放在肩背包頂部，確保暗格裡的赫本不會上下顛倒。她原本擔心，赫本沒辦法一直躲著感官敏銳的瑪泰，不過現在有巴索勒繆・卡托在她身邊，盧克莉霞・卡特幾乎看也不看諾娃，諾娃也儘量不引起別人注意。

她擔憂達克斯的爸爸可能認出她曾經幫忙救他，不過就算他認出來了，她也無法從他的表情看出任何跡象。當他看著她的時候，她覺得在他眼中看到關心或同情，不過那肯定是假裝的。他連自己死去的兒子都背叛了，絕對不可能會關心諾娃。

傑拉德站在通往飛機艙門的階梯底部。他

伸出手來，諾娃握住他的手，爬上移動式階梯。他輕輕捏一下她的手，他們交換了一下眼神。

盧克莉霞．卡特私人里爾噴射機的機艙內裝材質是白色的皮革，有八張活動靠背的座椅，四張一組，面對面排成兩列。飛機後方有兩張單獨的座位，面向前方椅子的靠背；諾娃直直走向其中一張單獨的座椅，坐了下來。

玲玲擔任機長，柯雷文是副駕駛。丹奇許跟毛陵坐在前面，和傑拉德一起。至於中央四張面對面的椅子，是瑪泰和巴索勒繆．卡托的座位。

飛行長達十一個小時。諾娃全都計劃好了，她打算在飛越大西洋的路上睡覺、看書。她帶了一本書，薄薄的一冊，是從瑪泰的圖書室拿來的，名叫《昆蟲蒐集手冊》，達克斯曾經提到過。瑪泰擁有所有甲蟲的書，所以並不難找到。諾娃不想讓人看見她在學習關於甲蟲的知識，因此她拿一本講述想當芭蕾舞伶的女孩的故事書，取下書皮，再將達克斯的甲蟲書包在裡頭。她在閱讀的時候，感覺跟他很親近，彷彿他正從她的肩膀後看，並且表示稱許。

她的手提包裡有一個塑膠盒，裝著米麗給的西瓜。每隔兩小時，她會到廁所去，讓赫本從手鐲出來伸伸腿、吃東西。

諾娃繫緊安全帶，凝望窗外，好奇這會不會是她最後一次到英國。

如果我像個正常人一樣長大。她心裡想。我會想在這裡有個家。我喜歡英國，尤其是在下雨的時候。

諾娃的頭很沉重。她靠在頭枕上閉起眼睛。她沒察覺到時間流逝或飛機起飛，不過等她醒來時，黑色龐巴迪噴射機已經高高在雲端之上。她發覺赫本離開了暗格，正在捏她拇指與食指間的皮膚。

諾娃正準備要悄悄斥責甲蟲時，注意到赫本正擔心的揮著前腿，抖動觸鬚——牠想要叫她們細聽前面座位上的交談。

「等著瞧吧，看我們共同努力種下的種子讓我走了多遠。」盧克莉霞・卡特說。

「我認為你的成就幾乎沒有半點可以歸功於我。」

「正好相反，巴索勒繆，要不是你讓我大開眼界，了解甲蟲驚人的本領和適應能力，我不會有現在的成績。是你的熱情和學識引導我走上這段旅程，你是我的靈感來源。終於我們可以一起回到實驗室……」

「我以為蘭卡跟你一起工作？」巴索勒繆・卡托的聲音不大自在。

「是啊，他的確跟我合作了一陣子。」她輕蔑的哼了一聲，「不過他現在對我毫無用處了。」

諾娃記得亨里克・蘭卡，一臉冷漠的金髮男人，殘酷鑿刻在他的骨子裡。他把她從百歐姆的蛹室拽出來已經快兩年了。她希望再也不用見到他。

「你知道嗎？我有個實驗室助理讓我想到了你。」盧克莉霞・卡特說，「他沒有你那麼聰明，不過他對甲蟲很有一套。」她嘆口氣。「真可惜你放棄了一切，不然在百歐姆裡的就可能是你，而不是克里普斯小子了。」

「克里普斯？」巴索勒繆．卡托筆直的坐起來。

「你不是嫉妒吧？」瑪泰笑了。

「不。」他放鬆下來，靠回座位上。「所以說，百歐姆是什麼？」

「我的祕密實驗室。」

「這間祕密實驗室在哪兒？」

「我要是告訴你，就不是祕密了，對吧？」盧克莉霞．卡特從喉嚨發出低沉刺耳的笑聲，「你很快就會知道了。你要在那裡進行你這一生最偉大的研究。」

「你對我太好了。恐怕我在之前的研究已經盡全力了。」

「對人好是浪費時間和精力。」瑪泰冷笑著說。諾娃把頭轉向窗戶，半閉著眼睛，窗戶上反映出瑪泰的倒影。

「拜託，」巴索勒繆．卡托說，「你不是真心相信這種話吧。看看你為了帶你女兒去參加電影獎，花了多大的工夫。你一定很以她為榮……」

瑪泰哈哈大笑起來，這回她的笑聲斷斷續續，令人厭惡。「喔，我親愛的巴索勒繆。你一點都不明白，是吧？」

「明白什麼？」

「那丫頭只不過是我的基因複製品。」

「你女兒？」

「你可以這麼稱呼她，但我不會。」

「我不懂。」

諾娃看見盧克莉霞．卡特向前傾身。她屏住呼吸，瑪泰要把她的祕密告訴他了。

「在白歐姆裡，我建了間蛹室。」她留意巴索勒繆．卡托臉上的反應，「一旦蛹室封閉就無法開啟，整個過程無法停下來。實驗對象會一分子接一分子的分裂，變成濃湯，保留前一個生命形式的記憶和想法。這時，我將新的基因帶入實驗對象裡，實驗對象就會開始轉形，變成新的形態，複製從幼蟲變甲蟲的變化過程。」

「露西！」諾娃聽出達克斯爸爸聲音裡的震驚，「你的意思不會是……」

「喔，是的，我就是那個意思。我親自體驗了整個過程。」她慢慢摘下超大的墨鏡，顯露出兩顆閃閃發亮的球狀眼睛。「痛死人了。」

巴索勒繆．卡托倒吸一口氣。「你可能會送掉一條命啊！」

「哎呀，」盧克莉霞．卡特噘起金色嘴脣嘲弄他，「我不曉得你會在乎呢！」她往後坐，把頭靠在皮革頭枕上，重新戴上眼鏡。「你不必擔心。所有的測試在應用到我自己身上前，都在天竺鼠身上做過。這是我從化妝品工業學來的。」她微微一笑。「那丫頭是我目前的天竺鼠。」

「諾娃？」

「之前還有其他的，不過很遺憾的，」她停頓一下，「他們全都死了。」

諾娃看不到巴索勒繆．卡托的臉，不過她能看見瑪泰的笑容，令她頓時打了個哆嗦。

「可是，那女孩……她不像你改變得那麼多吧？」

「對，」盧克莉霞．卡特惡聲惡氣的說，「我不確定原因。我想可能是因為她還小。等她經歷人類青春期的變化，可能會發育出更多甲蟲的特徵。不過那倒無所謂，反正她會再次化蛹。」

「**再一次？**」

「我很滿意我目前變態的這個階段，不過還不夠。」

「不夠？」巴索勒繆．卡托的聲音聽起來很空洞，「你已經超越了現代科學的界線。你，你已經不是人類了！你究竟希望達到什麼？」

「幹麼洩露祕密破壞樂趣呢？」盧克莉霞．卡特大笑。

「露西，你該不是想要進行完全變態吧？」巴索勒繆．卡托粗聲說，「你會送命的。即使轉形成功了，大氣中也沒有充足的氧可以養活像你這樣大小的甲蟲！而且你要用什麼方法溝通？到時你會沒有肺，也沒有喉頭。」

「你以為我沒考慮過這些事情嗎？」盧克莉霞．卡特嗤之以鼻，「這些只是煩人的小事。我們會先在那丫頭身上測試。」

「這就是你需要我的**真正**原因，對不對？在你變化後幫助你。」

「我才不需要你呢。」盧克莉霞・卜特生氣的小聲說，「我有克里普斯小子——他跟甲蟲的親近程度幾乎跟你一樣——但是我和你，我們有共同的願景、思想經歷。我們互相理解的能力更好。一旦我完成了完全變態，我身邊需要有人能夠和無脊椎動物交流。我和你因為很多過往的事聯繫在一起。我知道你遠比其他人更能理解我的意願。我們會永遠在一起。」

「你瘋了。」巴索勒繆・卡托低聲說。

「世人在認定你是天才之前，總是這麼說。」

諾娃害怕得全身僵硬。她清楚的記得蛹室的恐怖，以及分裂、永久變化時折騰人的痛苦。她寧願死也不想再經歷一遍。她緊緊閉上雙眼，用嘴形默默向達克斯祈求幫助，心裡知道她完全無依無靠，沒有人會來幫她。

19 最黑暗的時刻

達克斯覺得自己沒辦法上學，不過麥西伯伯堅持要他去。他精神恍惚的上完早上的課。午餐時間，他、柏托特和薇吉妮亞坐在他們慣常坐的餐桌，拿出盒裝的午餐。

「你伯伯送我回到家的時候，我媽已經起床了。他跟她說，他逮到我們偷偷留在那裡過夜，」薇吉妮亞咬著鮪魚三明治說，「她不相信他。他離開以後，我媽澈底訊問了我一遍。」

柏托特嘆了口氣。「我不懂你為什麼不能等到講完再吃。」

薇吉妮亞不理他，把食物吞下去。「我堅持這個說詞。到最後，我媽不得不承認我完好無缺，身上沒有瘀傷，所以我只被禁足一個月就了結。」

「我媽沒懲罰我，」柏托特輕聲說，「她只是哭了。」

「喔！那真是糟透了。」達克斯沒打開便當盒，他肚子不餓。

「沒有甲蟲的遭遇那麼糟。」柏托特小聲說。

「我打算放學後下去一趟。」達克斯看著自己的雙手，「我得去看一下。」

「你確定那樣做好嗎？」薇吉妮亞說。

「我一定得去。」達克斯嚥了下口水，「我想為牠們辦一場像樣的告別式……」

「對。」柏托特眨了下眼睛，「我也想那麼做。」

「嗯，好吧。」薇吉妮亞點頭，「我們是應該好好給牠們送行。」

「可是你被禁足了。」達克斯看向薇吉妮亞。

她聳了聳肩。「我放學後本來該去體操社的，沒人期望我會在六點前回家。這件事比較重要。」

一想到走進下水道時將會映入眼簾的景象，他們都沉默了下來。

「基地營的情況怎麼樣？」柏托特說。

「今天早上我到麥西伯伯的太平梯上看。基地營已經毀了，」達克斯面無表情的說，「她贏了。」

「不，達克斯……」薇吉妮亞搖頭。

「薇吉妮亞，**她贏了**。」他再說一次。「基地營被摧毀，我們沒找到史賓賽．克里普斯，艾波亞教授昏迷不醒，甲蟲死了，而我爸……我們連他在哪裡都不知道。」他把頭埋進兩手中。「盧克莉霞．卡特人在美國，無論她在計劃什麼，你、我或任何人都無計可施。一切都無望了。」

「這個嘛，**你**可能沒辦法做什麼，不過**我們**一起的話肯定有辦法，」柏托特說，「再加上一點毅力和膽量……」

「你們兩個連跟我在校外見面都不行！」達克斯生氣的說。

薇吉妮亞和柏托特互看一眼。「這點我們可能已經搞定了。」薇吉妮亞說。

「怎麼會？」達克斯皺眉，「我爸要你們的爸媽禁止我們見面。」

「對啦，呃，」柏托特咳了一下，「嗯……」

「你不能生氣喔。」薇吉妮亞說。

「氣什麼？」達克斯看向柏托特。

「呃，我們可能跟爸媽說了，呃，那個，嗯……」柏托特結結巴巴的說。

「我們說你爸爸精神崩潰了，所以做了一些瘋狂的事……比方說失蹤。」薇吉妮亞說，她的肩膀高高聳起到耳邊，臉上浮現道歉的笑容。

達克斯簡直不敢相信自己聽到的話。

「我媽只見過你爸爸一次，不過她看過報導，知道他之前失蹤，留下你孤孤單單的，由你伯伯照顧，所以當他出現在門階上，激動的吼說我們不該見面的時候，我媽以為你爸爸的意思是我對你有不好的影響。她對這點很生氣。不過，今天早上麥西伯伯送我回家時，他非常和藹可親，而且表達了歉意，說我很好、非常關心你，他很感謝我，而且我的友誼對你來說很重要，身邊有個像我這麼可愛又有禮貌的女孩很好。我媽聽了很高興。你伯伯說你爸爸得暫時離開一陣子，我媽就覺得事有蹊蹺。你伯伯一走，她馬上問我一大堆問題，我又不能跟她說實話，所以就捏造了一點精神崩潰的事。我說你爸爸前一天——就是她見到他的時候——身體突然不舒服，醫生認為應該把他送去特殊的醫院休養，你很難過，所以柏托特跟我半夜溜出去安慰你，因為我們是非常好的朋友。」薇吉妮亞得意洋洋的往後坐。「所以嘍，懂吧，我們是**可以**見面的喔。只不過我還是因為偷溜出去被禁足了。」

「薇吉妮亞的媽媽打電話給我媽，把事情一五一十的跟她說了。」柏托特說。

達克斯眨了眨眼。「你們告訴別人我爸爸被關在精神病院裡？」

「嗯，這個說法不對啦。」柏托特焦慮的搖搖頭，「我們說你爸爸在特殊的醫院裡，因為你媽媽不幸過世，他的精神崩潰了。」

「**什麼？**」達克斯猛然把椅子從桌邊往外推，站了起來。「你們對我媽的事根本一點都不懂！」他轉身氣沖沖的走出食堂，走到操場上。

「喔，天啊。」柏托特看著薇吉妮亞，「我想我們把事情搞砸了。」

「達克斯，是你嗎？」達克斯打開公寓門時，麥西伯伯的聲音迎接他。

「不然還會有誰？」達克斯答覆。

「太好了！」麥西伯伯出現在樓梯頂端，一面拍掉兩手上的灰塵。他對姪子露出滿面笑容。

達克斯懷疑的望著他。「你為什麼一副很高興的樣子？」

「你上來前廳一下吧？」麥西伯伯向他招手說。

達克斯脫下背包和外套，扔在門邊的地板上。

「哎呀，達克斯，我告訴過你多少次了？要把外套掛在鉤子上。你的記性跟果蝠一樣。」麥西伯伯輕聲笑著走回客廳。

達克斯撿起外套，掛到牆上，然後跟著伯伯上樓。他推開客廳門，麥西伯伯站在客廳中間，兩手張得開開的。

「登登！」他唱著。

所有的家具都移開了。沙發和扶手椅在窗下排成一列，咖啡桌緊緊挨著壁爐；旅行鐘上方跟那排非洲面具底下吊了一塊軟木板，上頭釘著一張張又髒又皺的紙片。達克斯走近一點看，那些全是放在基地營衣櫥後面的線索：諾娃的名片、薇吉妮亞所列的甲蟲事實清單。在他身後，客廳的另一端有個天空藍的充氣戲水池，底部墊著橡木的覆蓋物。在充氣戲水池的一側，有一座迷你茶杯山堆成小丘，部分埋在覆蓋物中，另一側則有切塊的甜瓜、黃瓜和香蕉。甲蟲山倖存下來的甲蟲正忙著挖地洞、大口咀嚼，顯得相當舒適自在。客廳左側的牆壁旁邊原本放置沙發的地方，現在擺著柏托特的工作臺，燙衣板上頭整齊的放著他在基地營的工具；而柏托特親手縫上所有枝形吊燈水晶的那塊正方形防水布，則垂在工作臺周圍，繫在用螺絲釘固定於天花板的四個掛鉤上，每顆水晶底部都棲息著一群睡著的螢火蟲。

「如何？你覺得怎麼樣？」麥西伯伯問。

「什麼？這……這真是太神奇了！」達克斯喃喃的說，看得目瞪口呆。

麥西伯伯點點頭，自豪的審視客廳。

「不是我在自誇，重新裝潢得不賴啊！我弄了好久才把枝形吊燈的水晶清理乾淨。當然啦，這遠遠比不上你們的基地營，不過……」

達克斯撲向伯伯，張開雙臂抱住他，把側臉埋進他的狩獵衫裡。

「哎喲！小伙子，別這樣！」

「太棒了。」達克斯的聲音沙啞，「真的很棒。」忽然間，他哭了起來。因為伯伯的好意而渾身顫抖、無聲的啜泣，流下的眼淚來自於為甲蟲悲痛、對他爸爸生氣，以及對一切感到不公平和絕望。

「好啦，好啦。全部發洩出來吧。」麥西伯伯輕拍他的頭，「好好哭一場，可以幫助你清晰的思考，對心靈有好處。」

麥西伯伯小心翼翼的拖著腳往後走到沙發前，讓兩個人一起坐下來。他輕輕撫摸達克斯的頭髮，達克斯埋在伯伯的肚子上大口吸氣，不停的抽噎。終於，他哭完了，呼吸平緩下來。他倒在麥西伯伯身上，趴了一會兒，聽著他的肚子咕嚕咕嚕叫。

「還好嗎？」麥西伯伯輕聲問。

達克斯坐起來，用袖子抹一把臉。他的眼睛發疼。

「好一點了。」

「很好。那麼，如果你不介意的話，我想去換件上衣。」麥西伯伯低頭看腹部，扮了個鬼臉。

達克斯哈哈大笑。麥西伯伯的襯衫溼透了，而且達克斯還在他胸前留下一些討厭的鼻涕痕跡。「對不起。」

「沒關係。我們來喝一杯好喝的茶，加一大堆糖，任何人喝了都會覺得好過一些。」麥西伯伯站起來，「老實說，要是你沒有好好哭一場，我反而會擔心呢。把所有事情都憋在心裡面是不健康的。我馬上回來。」

達克斯環視客廳。把這些搬上樓，麥西伯伯鐵定忙了一整天。他走到柏托特的工作臺前，伸手沿著焊鐵撫摸，想著柏托特再看到他的工具會多麼高興。他把手指舉到面前，手指頭聞起來有篝火的味道。

他想到了柏托特和薇吉妮亞，對於自己一整個下午不理睬他們感到內疚。他的頭好痛。過去的二十四小時漫長得永無止境，但是同時又好像過得很快。一切完全改變了。

熟悉的重量壓在肩膀上，讓他知道巴克斯特來了。他嘆口氣轉過頭去。

「哈囉，巴克斯特。」他輕輕撫摸兜蟲的翅鞘。巴克斯特的表情沮喪。「我們該為失去的朋友哀悼了。我們要為牠們舉行一場真正的喪禮。」

巴克斯特用頭側輕輕磨蹭達克斯的脖子。

「我懂，巴克斯特。我也有同感。」

麥西伯伯倒退走進客廳，端著一盤加了糖的茶和一碟卡士達奶油夾心餅。大口喝下一杯茶之後，達克斯覺得自己堅強一些了，關於哭泣，麥西伯伯似乎說得沒錯。事情變得清楚多了。現在，唯一重要的是向甲蟲們好好道別。

他上樓去換上黑色牛仔褲、黑色毛衣及帆布鞋。他下樓時，麥西伯伯穿著參加喪禮的西裝。

「你不能再進去大賣場了。」麥西伯伯說，「大火後，那棟建築變得不安全。不過我去找過克萊爾，就是經營樓下那家商店的女士。她的儲藏室裡有個人孔，通到甲蟲山隔壁的穴室。我今天下午去了一趟。」他深吸一口氣。「我得警告你，達克斯，那景象不大好看。」

「你去過那裡了？」

「我不得不去，」麥西伯伯回答，「我知道你會想去那裡，我必須確定那裡安全無虞。」

「要是你能看，我就能看。」達克斯咬緊牙關。他感覺自己的鼻孔張大，內心再度情緒洶湧，不過這回他設法控制住了。「我必須看一下。牠們是我的朋友。」

「那好吧。」麥西伯伯點點頭。

達克斯把頭往後仰，吸吮牙齒，模仿巴克斯特用後腿摩擦翅鞘所發出的聲音。房間內所有的甲蟲都回應他的呼喚。飛行的甲蟲組成一支小型艦隊，爬行的則排成井然有序的隊伍，在飛行的兄弟下面嚴肅的齊步前進。螢火蟲始終沒有點亮燈籠。

麥西伯伯、達克斯和肩上的巴克斯特，以及大批的甲蟲肅穆的走出公寓。當麥西伯伯打開門時，達克斯看見薇吉妮亞和柏托特站在那裡，穿著一身黑。薇吉妮亞咬著嘴脣，看上去像是快要哭了。

達克斯以前不曾看過她難過的模樣。他對她微微一笑，她和柏托特步伐一致的走在麥西伯伯後面，麥西伯伯帶著他們一起走進母親地球，進入下水道。

他們聚集在甲蟲山穴室外面的主要通道上，確認所有的甲蟲都跟他們在一起。

「我在想，如果你想要的話，一開始可以先來點音樂？」麥西伯伯挑起眉毛，用詢問的眼神看著達克斯。

達克斯感到不知所措。他想要好好的送別甲蟲，但是沒想過要用什麼方式。

「那個，我想，我們可以舉行一場儀式，甲蟲的儀式。」薇吉妮亞說著從口袋拿出一張紙，「我和馬文想出了一個點子，要是你願意讓我們做的話。」

「很顯然的，你跟巴克斯特應該要致悼詞，」柏托特說，「因此我和牛頓會負責為典禮收尾。」

「聽起來不錯。」達克斯點點頭。

麥西伯伯從西裝外套的胸前口袋拿出一把迷你排笛。他吹出一聲長音，久久不散，等他的氣耗盡以後，笛音開始顫抖，接著帶出憂傷的曲調；同時，麥西伯伯嚴肅的走入穴室，他們的鞘翅目朋友的骨灰就在裡頭。

達克斯感覺柏托特牽住他的手，他們一起走進穴室。薇吉妮亞跟在他們後面，甲蟲群聚在他們的四周和腳上。

穴室內的氣味讓達克斯非常震驚，裡面充斥著汽油味，刺鼻的氣味非常強烈，讓他感到頭暈目眩。甲蟲山幾乎只剩不到原本的三分之一大小。有些杯子在大火的極度高溫之下碎裂了，不過很多較厚實的馬克杯仍然保持完整。大葉醉魚草的焦黑骨骸從甲蟲山的殘骸伸出來，宛如一隻急切、想要求助的手。幾種體型較大的甲蟲翻過來的屍體清晰可見，例如：大角金龜、南洋大兜蟲、長戟大兜蟲等，但是達克斯知道還有數千隻小甲蟲在那堆漆黑的茶杯山深處，埋在黑暗中看不見。他抬起手輕輕撫摸巴克斯特。目睹這副景象對巴克斯特來說絕對不好受，他得為了巴克斯特堅強起來。

麥西伯伯縈繞心頭的曲調結束了，他以恭敬的態度站到一旁。薇吉妮亞走向前，站在那座龐大的灰燼與死亡之山的底部。她舔一舔嘴唇，吞嚥下口水，接著將手伸進外套口袋，拿出一個小盒子打開。她拿著盒子將手伸出去，獻給甲蟲山，然後低下頭。她一邊跪下一邊將盒子放在面前。「在這裡發生的事情，」她的聲音顫抖，「慘無人道，是中止了生命循環的謀殺。發生在我們親愛的朋友身上，我們獨特的甲蟲身上。」她咬了一下嘴唇，伸手到盒子裡，拿出一顆很小的藍雀蛋，「但是，生命的循環比殘忍的人類要來得強韌。」

薇吉妮亞將鳥蛋舉到頭上。「這顆鳥蛋象徵著甲蟲的卵。」她用另一隻手伸進外套口袋，拿出一片掌狀軟綠葉，是從她媽媽的盆栽摘下來的。「這片葉子則是棲息地。」她把葉子放在灰燼上，宛如一條毛毯，再小心翼翼將鳥蛋放在葉子上。「從卵孵化出幼蟲。」她從盒子裡拿起一塊石頭，高高舉起；達克斯能看到石頭上有螺旋形的記號。「這塊在土裡埋了好幾百年的化石象徵幼蟲。」她把幼蟲擺在葉子上的鳥蛋旁，然後又伸手進盒子裡，拿出一塊紫水晶。「幼蟲變成了蛹，這塊水晶就是蛹。」她把水晶放到幼蟲旁邊。「然後從蛹羽化出甲蟲。」她的聲音因為情緒激動而嘶啞。馬文從她的頭髮飛落到綠葉上，站在水晶旁邊。

薇吉妮亞大大張開兩條手臂，彷彿想要擁抱整座山。「這些甲蟲不會再產卵了。」

她的肩膀在顫抖，不過她讓聲音保持平穩。「最親愛的甲蟲們，你們的骨灰將會埋入地下，成為幼蟲的食糧，在那裡，你們將會重新加入生命的循環。沒有一個生命會真正死去。」她說著低下頭。

達克斯咬緊牙關，強忍住快要壓垮他的悲傷。

沉默了一會兒後，薇吉妮亞將馬文捧在手裡，起身往後退到柏托特身旁站著。達克斯向她點一下頭要她放心，她的儀式非常棒，然後他站了出去。「我的朋友們。」他咳嗽清清喉嚨，然後深吸一口氣，目不轉睛的看著茶杯燒焦的杯緣，以及散落在火葬堆各處焦黑的外骨骼。「對不起。很抱歉我們沒能採取更多措施來保護你們。很抱歉我們沒能營救你們。很抱歉人類對你們做出這樣的事。」他垂下頭，感覺到巴克斯特在用犄角磨蹭他的脖子。

他挺直了身體。「但是我們**永遠不會**忘記你們，我們**永遠不會**忘記發生在你們身上的事。」他舉起一隻手，「我發誓，每當我覺得無力抗爭的時候，我就會想起你們，然後堅強起來。我發誓會花一輩子的時間來了解自然界，保護自然界。我這麼做是為了你們，為了中蟲山的甲蟲：我的救星，我的導師，我的朋友。」接著他以石頭般堅定的聲調補充，「但是首先，我發誓，我會找到盧克莉霞．卡特，而且阻止她。」

薇吉妮亞走上前去站在他旁邊，眼淚撲簌簌的順著臉龐流下，舉起手來。「我發誓，我會阻止她。」

柏托特默默加入他們，舉起手來。「我也會阻止她。」

麥西伯伯走上前去站在薇吉妮亞身旁，舉起手來。「還有我，」他輕聲說，聲音因激動而變得低沉。

牛頓上升到空中，飛向茶杯山，後面跟著牠的螢火蟲家人。悲傷的螢火蟲在空中飛舞，小燈籠緩緩搖曳，牠們跳著優雅的華爾滋，圍繞著朋友的殘骸上下起伏。倖存的甲蟲在穴室的陰影中若隱若現，牠們用後腿摩擦翅鞘發出奇特的尖聲鳴叫，用超凡脫俗的樂音為螢火蟲的舞蹈伴奏。

柏托特擦掉眼鏡底下的淚水，達克斯留意到就連麥西伯伯的眼睛都閃著淚光，不過他自己的眼淚已經流乾，剩下的只有鋼鐵般的決心，以及此生第一次體悟到的強勁意志。

他是甲蟲男孩。他要保護甲蟲，摧毀盧克莉霞．卡特。

20 甲蟲的守靈

「那麼，誰想要來一塊巧克力蛋糕？」他們一個個走回公寓門內時，麥西伯伯問。

「我有冰淇淋、顏色鮮豔的汽水，還有一大堆糖果。」他把探險帽掛在門邊的鉤子上，「以前沒辦過甲蟲的喪禮，我不大確定需要什麼。」

「這又不是派對！」柏托特驚訝的大聲叫嚷。

「柏托特，你參加過喪禮嗎？」

「沒有。」柏托特低下頭，「這是我第一次參加喪禮。」

「嗯，在喪禮儀式過後向來都要守靈。守靈是頌揚過世的人的一生——以今天的情況來說是頌揚甲蟲。重要的是我們要記得甲蟲們多麼的了不起，多麼的勇敢、聰明。為了做到這點，我們需要好好吃一頓，提振精神。心情鬱悶的話，可沒辦法頌揚生命。」

「我想要來點巧克力蛋糕和冰淇淋，放在同一個碗裡，上頭再加點糖果。」薇吉妮亞說，欣然接受了這個主意。「我餓死了。」

「我也要。」達克斯點頭。

「好吧，」柏托特勉強同意，「我也要一樣的。」

「哈！這才像話。你們到前廳吧，我會端過去。」說完麥西伯伯便消失在廚房裡。

達克斯不好意思的朝柏托特和薇吉妮亞笑了笑。「對不起，在學校對你們大吼。我是說，我……」

「沒關係啦。」柏托特把眼鏡往鼻梁上推，「要是我也會這麼做。我們實在太糟糕了。我們覺得很抱歉，對吧，薇吉妮亞？」

薇吉妮亞點了點頭，不過看起來完全沒有抱歉的意思。

「我很高興你們來參加喪禮。要是沒有你們，典禮就沒辦法辦得像樣了。」達克斯說，「薇吉妮亞，你的儀式很棒。」

「你這麼認為嗎？」薇吉妮亞的眼睛張大，鬆了口氣。

達克斯點點頭。

「喔，我好高興。我希望這儀式是跟甲蟲有關，你懂嗎？和牠們的生命有關。平常那些有關天堂、天使的東西感覺似乎不大對。」

「那儀式棒極了。」柏托特點了點頭。

達克斯推開客廳的門，走到充氣戲水池邊，小心翼翼的把一隻腳伸進覆蓋物裡，好讓所有搭便車離開下水道的甲蟲能夠爬進牠們的新家。

「我的工作臺！」柏托特驚呼，「喔，還有我的枝形吊燈水晶！真不敢相信！」

「不會吧！」薇吉妮亞大叫，衝到壁爐前緊抓住壁爐架，仔細查看麥西伯伯從基地營搶救出來、釘在板子上的所有線索和資料碎片。「全都在這裡！你們看！是法布林計畫的照片，我還以為在大火裡弄丟了。」她皺起鼻子。「聞起來有烤肉的味道。」她轉過身去。「這些事情你是什麼時候做的？」

達克斯搖搖頭。「不是我，是麥西伯伯。」

「真的？」柏托特仰頭看防水布，「他真是太好了。」

「我們不能回去家具森林，太危險了。」達克斯說。

「基地營永遠沒了嗎？」柏托特垂頭喪氣的問。

達克斯點頭。「麥西伯伯盡力把還有救的都搬上來這裡了。其他的全毀了。」

「那個充氣戲水池是？」薇吉妮亞問。

「是我臨時拼湊的。」麥西伯伯回答，他端著一大盤美味的食物進門。「當時，甲蟲在尋找黑暗的角落和柔軟的木頭，我想最好在牠們把我的家具變成木屑之前，幫牠們找個更吸引人的棲息地。這個好東西，」他指向充氣戲水池，「是我在佩托先生的報刊店裡所能找到最大的容器。我相當滿意。」

「這太完美了。」達克斯說。

「教授，謝謝你。」柏托特指著防水布說，枝形吊燈水晶和螢火蟲的重量使得防水布低垂下來。「尤其是把我們的屋頂搬過來。我花了好多時間才縫上那些水晶，螢火蟲非常喜歡。」

「樂意之至。」麥西伯伯向柏托特鞠個躬，「我曉得這並不是基地營，不過也許可以湊合一下，充當我們的總部。」

「總部？」達克斯問。

「你們全都坐下來吧。」麥西伯伯說，揮手趕他們到沙發去，遞給每個人一大碗滿滿的巧克力蛋糕和香草冰淇淋。「我的看法是這樣子的：巴弟失蹤了，我們不確定他究竟去哪裡了；盧克莉霞．卡特放火燒了隔壁的屋子，殺死了好幾千隻可憐無辜的生物，毀掉你們美好的小窩；還有醫院裡可憐的安德魯，我連想都不願去想。我不是個喜歡衝突的人，不過那女人真是太過分了。她怎麼敢飛到美國在電影獎上開派對？我實在不懂！」

「喔！」柏托特兩手飛快的捧住臉頰，「我想起我在火災之前正在思考的事情了！」

「什麼事？」薇吉妮亞問。

「我當時正在看報紙上的文章，覺得盧克莉霞．卡特去參加電影獎很奇怪。她以前從來不關心這些。事實上，她討厭電影獎。以前她甚至拒絕讓女演員穿她的禮服去參加典禮。」

「也許是為了諾娃。」薇吉妮亞聳了下肩，看向達克斯。「你說過盧克莉霞．卡特贊助了諾娃演的那部電影？」

達克斯搖搖頭。「她一點也不關心她女兒。」

薇吉妮亞皺眉。「那為什麼……」

「如果她**根本**不是對電影獎感興趣呢？」柏托特說，他跳了起來，將蛋糕和冰淇淋翻倒在腿上。「喔！哎呀！」

「冷靜點，柏托特。」麥西伯伯傾身過來把蛋糕和冰淇淋舀回碗裡。

「可是那不合理啊！」薇吉妮亞說，「她要是不在乎電影獎，為什麼會去那裡？」

「因為，」達克斯感覺身體逐漸發冷，「她想要在全球實況轉播的活動中站到舞臺上。她想要所有的攝影機照在她身上，因為那就是她要採取行動的時刻。」

「該死的討厭鬼！」薇吉妮亞驚訝的闔不上嘴，「就是這樣！」

「沒錯！」柏托特點了點頭，一面用餐巾擦著大腿。「十二月二十二日，就是事件發生的時候。」

「可是我們不曉得是**什麼事**！」達克斯沮喪的將雙手往上攤。薇吉妮亞抓住他在半空中的手臂。

「不過我們有間諜啊。」她的眼睛睜大，「我們有諾娃。她試圖寫信解救甲蟲，不是嗎？她是站在我們這邊的，她會幫我們的忙。」

「那個可憐的孩子。」麥西伯伯搖搖頭。

「她會出席電影獎頒獎典禮，達克斯，」薇吉妮亞說，「有她幫忙的話，我們也許就能夠用某種方法阻止盧克莉霞‧卡特了。」

「我們需要跟她聯絡。」達克斯點了點頭，「而且我們需要通知她我還活著。」

「好吧，那麼我們得擬定一套掩護的說詞，讓我們可以去美國，不會引人懷疑。」麥西伯伯坐下來撓了撓下巴，「為了耶誕節去迪士尼樂園旅行怎麼樣？」

薇吉妮亞拍拍手。「我一直想去迪士尼樂園！」

「可是我們不會真的去迪士尼樂園吧？」達克斯說。

「不會，我們會告訴大家我們要去迪士尼樂園，但實際上我們要去洛杉磯的電影獎頒獎會場，試著找到諾娃。」

「那不是說謊嗎？」柏托特問。

「是有一點。」麥西伯伯承認。

「我趕得及回來過耶誕節嗎？」柏托特扭著雙手，「我不能留下我媽自己一個人過耶誕節。」

「我們會在耶誕夜前回來。」麥西伯伯向他保證。

「我們會需要一支軍隊。」達克斯低聲說。

「甲蟲已經死了。」薇吉妮亞悲傷的說。

「並不是所有的甲蟲。」達克斯看著充氣戲水池，「可是三個小孩、一群甲蟲和一個考古學家要阻止盧克莉霞‧卡特實在不夠啊。」

「四個小孩，」柏托特說，「要是把諾娃也算進去的話。」

「我知道了！」麥西伯伯坐直了身體，兩手撐在膝蓋上。「我們去找跟盧克莉霞·卡特同樣聰明的科學家和昆蟲學家幫忙怎麼樣？這樣我們就必須繞道去格陵蘭，不過很可能會得到我們所需要的優勢。」

「那當然會有幫助。」薇吉妮亞點頭。

「可是找誰呢？」柏托特問。

達克斯看著他伯伯露出笑容。「石川佑樹博士。」

21 母親的干涉

達克斯跟薇吉妮亞將裝滿甲蟲的手提箱小心翼翼的搬上麥西伯伯的後車廂。這時，馬路上一輛摩托車轟隆隆駛來，放慢速度在他們旁邊停了下來。摩托車騎士摘下安全帽，露出金黃色齊耳的短髮和電視臺記者愛瑪·蘭姆熟悉的面孔。她朝達克斯眨了一下眼。「這附近最近發生過綁架案嗎？」

「你來這裡幹什麼？」薇吉妮亞問，用羨慕的眼光注視著摩托車。她伸出手輕輕撫摸亮紅色的油箱。「好漂亮的摩托車。」

「啊，愛瑪！真高興見到你。」麥西伯伯說，他正把兩個手提旅行袋提到車上，柏托特跟在後面，拖著一個小旅行箱。

「想在你們離開前過來看一下。」愛瑪·蘭姆回答，「插手管盧克莉霞·卡特的閒事很危險啊。」

「你要幫我們嗎？」柏托特問。

「我自己跟那女人有帳要算。」愛瑪·蘭姆點頭，「你們聽說了嗎？我丟了工作。」

「你被開除了？」薇吉妮亞感到義憤填膺。

愛瑪．蘭姆向她傾身。「還有我所有的記憶卡，那些拍到盧克莉霞．卡特詭異的黑眼睛的影片，全都被刪除了。」

「被刪掉了？」柏托特倒吸一口氣。

「這太糟糕了！」達克斯說。

「對啊，哼，盧克莉霞．卡特招惹我可是個錯誤的決定，」愛瑪．蘭姆做個鬼臉，「因為我一定會反擊。」

「你找到什麼了嗎？」麥西伯伯問。

「不確定。」愛瑪．蘭姆回答，「據我所知，盧克莉霞．卡特是一人幫派。她在卡特女裝的保護傘下有一系列的事業，有些合法，有些很糟，有些是暗藏起來的。我聽說過養殖昆蟲工廠的傳聞。」

「足以毀掉科羅拉多州森林的昆蟲嗎？」達克斯問。

「或許吧。」她聳了聳肩，「我對盧克莉霞．卡特買下的一大片亞馬遜雨林感興趣。根本無法得知那邊發生了什麼事，完全拿不到情報。沒有衛星影像，什麼都沒有。那裡是隱形的。」她舉起一根手指頭。「哪裡缺乏情報，哪裡就有故事。」

「亞馬遜雨林是最適合飼養甲蟲的棲息地，」達克斯說，「在那裡能找到最棒最大的甲蟲。」

「你可以在那裡面藏任何東西。」柏托特點了點頭。

「嗯，那正是我要去的地方。所以過來跟你說一聲。」她拿起安全帽，看著麥西伯伯。「你知道的，以免我失蹤了。」

「你要去亞馬遜？」薇吉妮亞瞪大了眼睛。

「隱藏在那叢林裡的精采故事正合我意。」她戴上安全帽，「我要打垮那個貪權的女人，同時撈個普立茲獎。」

「小心點。」麥西伯伯提醒她。

「怎麼不說說你自己！」愛瑪．蘭姆大笑，「除非我搞錯了，你們正計劃要去拔老虎嘴上的毛呢。祝你們好運！」她戴上手套，拉下安全帽的面罩，發動引擎，將摩托車倒退到馬路上，等待車流的空檔。

「嘿，等一下！」達克斯大喊。他飛快的衝向前，在空中一抓，可是引擎轟隆作響，愛瑪．蘭姆沒聽見他的聲音。摩托車猛然向前衝，她離開了。

「怎麼了？」薇吉妮亞來到他身邊問。

達克斯伸出拳頭，飛快抬起一根指頭，讓薇吉妮亞瞥見一隻黃色瓢蟲的身影。「這隻剛才在她背上。快點，從我口袋拿出藥罐子。」

薇吉妮亞從達克斯的外套口袋拿出一個塑膠罐，他強迫那隻不停掙扎的昆蟲進去。

「我會把牠放進玻璃瓶裡，跟其他隻瓢蟲一起。」薇吉妮亞說。

「我們得行動了，否則會趕不上飛機。」麥西伯伯引導三個孩子上車。

「我還是無法相信你竟然讓我媽同意了這件事。」他們開車出城時，薇吉妮亞興高采烈的說。

「我想不出有什麼理由，會讓家長拒絕送小孩在耶誕節前的週末免費去迪士尼樂園旅行，你們能嗎？」麥西伯伯開懷大笑。

「說謊讓我覺得很內疚。」柏托特搖了搖頭，「我以前從來不曾像這樣對我媽撒謊。」

「你當然不曾嘍，」薇吉妮亞嘲笑著說，「以前從來沒有發生過這種事。這可是千載難逢的大冒險啊。」她在後座蹦蹦跳跳，害得旁邊的柏托特也跟著上下晃動，柏托特一臉不高興。「總有一天，會有人將**我們**的故事拍成電影。」

「如果我們沒成為爭鬥下的犧牲者的話。」柏托特咕噥著說。

達克斯看著憂心忡忡的朋友。「你要是不想來，我們可以理解。」

「我**真的**想去，」柏托特回應，「我只是不喜歡對我媽說謊。」

「我們**沒辦法**對爸媽說實話啊。」薇吉妮亞無奈的攤手，「拜託，你要怎麼說服大人這件事情是真的？你試過跟別人說你養的甲蟲有智慧嗎？」

「嗯哼，」麥西伯伯刻意的清了清喉嚨，「**我**就是大人啊！」他停頓一下。「不過我明白你的意思。」

「而且我們不想走漏風聲，」達克斯補充說，「盧克莉霞．卡特到處都有眼線。」

柏托特悶悶不樂的嘆口氣，看向窗外。「我知道啦。」

這是一座貌不驚人的小機場，幾塊老舊的停機坪零星分布在一大片灌木林地上，好像島嶼一樣從青草跟雜草之間隆起。一條泥土跑道通向兩座破舊的建築物，看起來不像飛機庫，比較像牛棚。

「你確定是這個地方沒錯？」達克斯問。

「絕對沒錯。這個老舊的小機場已經二十幾年沒用了，所以不大可能被監視。」

他們停車時，一個女人大步走出來迎接他們。她個子嬌小，灰髮往後梳，紮成緊緊的圓髻。她的臉長得像鬥牛犬，五官全部擠在中間，臉頰和下巴垂落形成皺褶，小巧的鼻子往上翹，架著金邊的圓形眼鏡，鏡框裡的淡褐色眼睛炯炯有神，不斷掃視四周，注意每個細節。

「莫蒂，見到你真是太好了。」麥西伯伯將她的小手握在兩手之間，「謝謝你願意幫忙。」

「我一定是年紀大了，心腸也變軟了。」女人微笑著說，「不過反正我需要回洛杉磯的住處一趟，而且你這人讓人很難抗拒，麥西米廉。」

「哈！」麥西伯伯大笑起來，「認識一下這些孩子吧：柏托特．羅伯茲、薇吉妮亞．華勒斯，還有這個是我姪子，達克斯。」

「午安，年輕人。」她伸出手來，「我是莫蒂席拉．布萊斯威特。」她握一握達克斯的手，力道大得害他失去平衡。「叫我莫蒂就好，」她說著鬆開手，又抓起柏托特的手。「大家都這麼叫我。」

麥西伯伯搬出車上的旅行箱和袋子，他們跟著莫蒂走進破舊的建築物裡。

「這只不過是間超大的棚屋！」他們一個接一個走進門時，薇吉妮亞說。

「不然還需要什麼呢？」莫蒂回應。

「這有點老舊了吧。」薇吉妮亞說著皺起鼻子。

「我也有點老了，小姐，」莫蒂從眼鏡上方盯著她看，「但是我可以在你記住我的全名之前扒走你的錢。」

薇吉妮亞停下腳步，非常驚訝莫蒂竟然這樣反駁。達克斯忍不住咧開嘴笑。

「真的很感激你幫助我們。」麥西伯伯說。

「如果你說的那些關於盧克莉霞．卡特的事全是真的，」莫蒂說，「那我很樂意載你們到美國去。」

「你是飛行員？」薇吉妮亞呆呆的看著她。

「嗯，我可不會讓別人開**我的**飛機，是吧？」莫蒂的眼睛閃爍著淘氣的光芒。她看向達克斯，「你伯伯打了好幾通電話，我才答應讓他當副駕駛。」

達克斯看著麥西伯伯。「你會開飛機？」

「我有點生疏了，」他承認，「不過我有執照，而且至今還沒死於空難。」

莫蒂哼了一聲。「飛越沙漠那種短程旅行，跟飛到美國西岸可是不大一樣喔。」

「嗯，這樣我就有機會記住所有的旋鈕和按鍵的功能了。」麥西伯伯回答。

莫蒂看著三個孩子。「別擔心，他不會真的負責駕駛。一名飛行員就可以駕駛飛機，需要副駕駛只是怕我出了什麼事，以防萬一罷了。」

「我們會好好照顧你的。」柏托特認真的回答。

「我們會到納薩爾蘇瓦克加油。」麥西伯伯說。

「在格陵蘭，」達克斯補充說，「我們要去那裡找石川佑樹博士。」

「希望他會在格陵蘭植物園，」麥西伯伯說，「我最後聽說的消息是，他在那裡研究豉甲。」

「他會幫我們的。」達克斯感到一陣興奮，「我知道他會的，而且我敢打賭要是有誰知道怎樣才能阻止盧克莉霞．卡特，一定是他。」

「所以呢，」莫蒂清清喉嚨，「我們有三名孩童，一名成年人的副駕駛……然後還要在納薩爾蘇瓦克多載一名乘客？」

「不要忘了還有甲蟲。」達克斯說，指著他拖在後面的旅行箱。

「甲蟲？」莫蒂皺起眉頭。

達克斯小心翼翼的將旅行箱平放在地上，解開箱扣、掀開蓋子。裡頭是排成蜂巢構造的塑膠杯，中間填塞了苔蘚和報紙，大小不一的甲蟲正從角落和縫隙探出頭和觸鬚。

「共有一百八十七隻。」

「一百八十八隻。」薇吉妮亞說，舉起裝著黃色瓢蟲的塑膠藥罐。她在達克斯身旁跪下來，從旅行箱前方口袋拿出一個蓋子上戳了許多孔的果醬罐，裡頭裝了九隻黃色瓢蟲，現在只剩三隻還活著。那三隻存活下來的黃色甲蟲翅鞘上有十一個斑點。

達克斯旋鬆果醬罐的蓋子，等薇吉妮亞用手指罩住藥罐蓋子的邊緣後，他掀起蓋子，薇吉妮亞將黃色瓢蟲扔進去，他再使勁把蓋子蓋回去旋緊，動作一氣呵成。

莫蒂注視著麥西伯伯。「這就是你提到過的『有爭議的貨物』？」

麥西伯伯點頭。「我們不能讓任何人發現這些甲蟲的特殊才能，否則牠們會被沒收然後殺掉。我們必須神不知鬼不覺的帶牠們進出美國。」

「好吧，那我們最好不要被逮到。」莫蒂席拉微微一笑，「要是有人問起，就說你們是古怪的英國百萬富翁麥西米廉．卜托的親友。」麥西伯伯鞠了個躬。「他用私人飛機載你們去迪士尼樂園。明白了嗎？」

「明白了！」他們大聲回答。

「好吧，那我們起飛吧。」莫蒂邁開大步，朝巨大的雙扇門走去。

突然間，背後傳來砰的一聲巨響，所有人都嚇了一跳，轉過身去。

「喔，不會吧！」柏托特看起來一副快要昏倒的樣子。

兩個女人站在飛機庫的門口。

「**媽**！你來這裡幹麼？」薇吉妮亞大叫。

「我還想問你在這裡幹什麼呢，薇吉妮亞。」華勒斯太太回答，她兩手插腰，生氣的噘著嘴，嘴唇緊緊閉著。

「啊，華勒斯太太……」麥西伯伯帶著歉意開口。

「你不要想用謊話哄我。」華勒斯太太舉起一隻手，「我不想聽。我來這裡是要找我女兒，把她帶回家。」

「媽，**不要啦！**」薇吉妮亞大聲說。

「小柏，」凱麗絲姐．布倫的眼神像隻受傷的小狗，「你對我撒謊。」

「對不起。」柏托特的臉色發紫。

「不要對柏托特太嚴厲，要不是他告訴艾莉絲．克里普斯事情的來龍去脈，我們永遠都不會知道。」華勒斯太太提醒凱麗絲妲．布倫。

達克斯看向柏托特。「你告訴了克里普斯太太？」

柏托特低下頭，點了點頭。「她很寂寞。我經常去看她。我不是故意要告訴她的，可是我很擔心說謊的事。我想萬一，你知道的，萬一我出了什麼事，她可以向我媽解釋。」

「克里普斯太太是個母親，她很清楚失去孩子是什麼感受。」芭芭拉．華勒斯對麥西伯伯說，「她當然跟我們說了。你到底在想什麼？」

麥西伯伯的臉漲紅。「當然，你說得很對。我被這情況沖昏頭了。我很抱歉，完全不可原諒。對不起。真的非常對不起。」

「你跟孩子們一樣糟糕，」芭芭拉．華勒斯斥責，「你是大人，照理說要有責任感。」

「小柏，我的小豆子，」凱麗絲姐．布倫伸出雙臂，柏托特急忙撲進媽媽懷裡。她從柏托特的頭上看向達克斯。「是這小子把你帶壞了嗎？」

「不是的，媽。」柏托特搖搖頭，達克斯看見他往後退，離開他媽媽的懷抱，感到很意外。「很抱歉對你說謊。我真的覺得對不起。不過這件事我非做不可，你必須讓我去。有些邪惡的事情正在發生，那些事會影響到所有的人。」他眨了一下眼睛。「克里普斯太太的兒子失蹤了，我們的朋友諾娃有危險，達克斯的爸爸離開了——我們猜是為了阻止盧克莉霞．卡特在電影獎上做些可怕的事。」

「電影獎？」柏托特的媽媽看起來人吃一驚，「喔，我愛電影獎！」她露出燦爛的笑容，雙手緊扣在一起。「每個人都看起來好帥，禮服閃閃發亮……」

「媽。」柏托特握住媽媽的手，好引起她的注意。「我想去啦，媽。我非去不可。」

薇吉妮亞點頭，走向她媽媽。「媽，對不起我說了謊。」她脫口而出，「我這麼做是因為我認為你不會允許我去，但這是我一生中做過最重要的事。他們需要我，我非去不可。求求你！」

華勒斯太太看向達克斯。「你跟我說他爸爸住院了。」

「我撒了謊。」薇吉妮亞承認。

「你說的謊還不少。」芭芭拉．華勒斯嘖了一聲，注視著達克斯。「你爸爸告訴我，我女兒應該離你遠一點。」

「他是在保護她。」達克斯回答，迎向華勒斯太太的視線。「他知道我們會想辦法跟盧克莉霞．卡特對抗。他認為只要把我們分開，就能阻止我們。」

「聽起來他說得對。」芭芭拉．華勒斯搖了搖頭。「你們不應該跟任何人對抗，而是應該做學校作業才對。你們只是小孩子而已。」

「我們不只是小孩子。」達克斯回應，「我們有一百八十八隻特別的甲蟲，還有一位明白年輕人也能像大人一樣努力奮戰的伯伯。」

華勒斯太太怒目瞪著麥西伯伯，他感到非常不安，默默的道歉。

「薇吉妮亞，你認為這件事你非做不可嗎？」芭芭拉．華勒斯問。

薇吉妮亞握緊雙拳，堅決的噘著嘴，果斷點頭。

芭芭拉·華勒斯嘆了一口氣，搖搖頭。「要是我能跟你一起去，那麼也許……不過耶誕節到了，而且得有人照顧綺霞和達諾。」

「我可以去。」柏托特的媽媽衝口而出。

「什麼？」柏托特尖叫起來。

「我可以去好萊塢啊。」凱麗絲妲·布倫似乎對自己說出的話也感到意外。她咯咯笑了。「雖然，我對打架完全不在行，而且我害怕爬行的小蟲子，不過我可以確保孩子們好好吃飯，晚上給他們一杯好喝的熱巧克力，幫他們蓋好被子。」

「可是那童話劇怎麼辦？」柏托特氣沖沖的眨著眼說，「你不能就這樣一走了之。你飾演好心的仙女耶。」

凱麗絲妲·布倫翻了個白眼。「哎呀，我每年耶誕節都扮演那個角色，就讓候補演員試試吧。這件事刺激多了！」她迅速轉了一圈。「我一直夢想著去參加電影獎。我得買禮服、鞋子和包包了。」

「你真的會去嗎，凱麗絲妲？」芭芭拉·華勒斯說，「那麼我就放心了。」

「等等！」薇吉妮亞一臉困惑，「你要讓我去？」

「你一向是個很棒的鬥士。」芭芭拉·華勒斯對薇吉妮亞露出自豪的笑容，「如果你決心要對抗那個邪惡的女士，那我憑什麼阻止你？我只希望你平安無事，孩子，而凱麗絲妲會確保這點，她跟我一樣是位母親。」她注視麥西伯伯，威脅似的指著他。「你要拚命不讓別人傷害我女兒，懂我的意思嗎？」

「當然！」麥西伯伯結結巴巴的說，「這點毫無疑問。」

達克斯發覺自己看著芭芭拉．華勒斯，心裡感到羨慕。他真希望爸爸也像薇吉妮亞的媽媽相信她那樣的相信自己。

「你要盯著他。」芭芭拉．華勒斯對凱麗絲妲．布倫說，指著麥西伯伯。

「可是，可是……」柏托特結結巴巴的說，「媽，你沒有帶護照啊。」

凱麗絲妲．布倫的眼睛一亮。「其實，我有帶。」她在青綠色手提包裡東摸西找，翻出一本護照，唇膏和鑰匙一併散落到地板上。「哎呀！」她彎下腰把所有東西撿起來。「我一直隨身帶著，以防有一天好萊塢召喚。」她咯咯笑著說。

「好吧，那事情就解決了！」麥西伯伯拍了拍手，「我們把布倫太太加進乘客名單。」

「小姐。」凱麗絲妲．布倫糾正他。

「請原諒我，布倫**小姐**。」麥西伯伯鞠了個躬。

柏托特的媽媽轉向他，擺動雙手。「小柏，很興奮吧？」

柏托特點點頭，勉強擠出笑容。

「我們得起飛了，」莫蒂插嘴說，「否則沒辦法在今天結束前飛到納薩爾蘇瓦克。」

她拉開一扇巨大的門。

在他們前方五十公尺處的停機坪上，耀眼的冬日陽光下，有架漆著紅色標記的白色小飛機。機翼與高居在尖尖機鼻上的駕駛艙齊高，成雙的螺旋槳從機翼往前伸出。

「這是柏娜黛特，由比奇飛機公司製造的比奇九十。」莫蒂說著大步走出飛機庫。達克斯看見機尾上以紅色漩渦狀的筆跡寫著「柏娜黛特」。

「機上有供應點心嗎？」凱爾絲妲．布倫問，「我沒吃早餐。」

「我們準備了野餐。」麥西伯伯安撫她。

達克斯感覺柏托特握住他的手，他蒼白的臉上寫著焦慮。「你怕搭飛機嗎？」

「不是。」柏托特搖頭，「你要是了解飛機的運作原理，就不可能會害怕。飛行是最安全的運輸方式。」他停頓一下。「只是，呃，我們將要做的是件大事。」

「是啊，」達克斯點點頭，「的確是。」

「所以，我擔心，要是有人會搞得一團糟，或是受傷，」柏托特皺了皺眉，「恐怕會是我媽。」

22 納薩爾蘇瓦克

「這將是我們至今最大的冒險。」雙螺旋槳劈啪劈啪旋轉起來的時候，薇吉妮亞說。她傾身向前，把臉擠在柏托特和達克斯的座位間，對他們咧開嘴笑。「我以為我媽鐵定會逼我回家。你能相信你媽媽竟然跟來嗎？」

達克斯看向凱麗絲妲·布倫，她坐在飛機前排，正緊張不安的在跟麥西伯伯談話。她說話時，兩手把圖案鮮明的裙子揉成一團。

「我覺得很不舒服，」柏托特說，隨著達克斯的視線望過去。「我現在寧可不要去冒險。」

「你不是說真的吧！」薇吉妮亞說。

「我是說真的。我希望盧克莉霞·卡特不存在，一切平凡正常。」

「是啦，不過，對有些人來說平凡可不怎麼有趣。」薇吉妮亞轉頭看出窗外，「平凡意味著不顯眼。」她對站在停機坪上的媽媽揮揮手。

「沒有人會說你不顯眼！」達克斯斷然否認。

「為什麼，因為我是『大鳥』？」薇吉妮亞厲聲說。

「嘿，薇吉妮亞，」柏托特斥責她，「你那樣說不公平！他又不是那個意思。」

「我的意思是，你膽子很大，」達克斯對上她的視線，「又大嘴巴，所以很難忽視你。」

薇吉妮亞噘著的嘴巴露出一抹苦笑。達克斯不知道她在學校裡的綽號這麼困擾她，她似乎從來不在乎別人怎麼稱呼她。

「我不想過平凡的生活。我不擅長那種生活。」薇吉妮亞氣呼呼的說，「冒險很困難，不過那正是冒險的意義，不是嗎？」

「我們打算嘗試去做的事，比困難還要更艱難一點吧。」柏托特點出事實。

「我們以前對抗過盧克莉霞．卡特，而且贏了。」薇吉妮亞提醒他。

「可是到最後她殺死了甲蟲，不是嗎？」達克斯說，他望著飛機窗外的芭芭拉．華勒斯，她兩手抱胸，一臉嚴肅。

「不是所有的甲蟲。」薇吉妮亞說。

「我不會讓她再傷害任何一隻甲蟲，」達克斯說，「或是諾娃，或我爸，或任何人。」

「她有權、有錢，還有科學知識。」柏托特隔著大眼鏡對達克斯眨了眨眼，「你打算怎麼阻止她？」

「我不知道。」達克斯說，「但是我會阻止她的，這一次要一勞永逸。」

「這種精神就對了。」薇吉妮亞捏一下達克斯的手臂表示贊同。

凱麗絲妲．布倫搖搖晃晃的沿著飛機走道走過來。「達克斯，」她親切的說，「你介意我坐在我的親親小柏旁邊嗎？」

達克斯努力忍住不笑出來，拖著腳步走過滿臉通紅的柏托特，好讓凱麗絲妲．布倫坐在兒子旁邊。他一屁股坐上薇吉妮亞隔壁的座位，兩人對彼此咧嘴一笑，飛機的引擎轟隆隆的開始運轉。

「孩子們，繫上安全帶。」凱麗絲妲．布倫用清脆的聲音說，一面繫上自己的安全帶。

比奇九十加快速度，最後以極大的傾斜角度爬上天空，達克斯感覺肚子都貼到脊椎上了，頭也陷進座椅的頭靠裡。

等安全帶警示燈一熄滅，薇吉妮亞立刻跳起來。「我要去駕駛艙，你要來嗎？」不等達克斯回答，她就已經從他身上爬過去。

達克斯往前傾身，輕輕拍一下柏托特。「想去嗎？」

「我要陪我媽。」他搖了搖頭，接著用嘴形說：「她不大敢搭飛機。」

達克斯看向凱麗絲妲．布倫，她的兩眼緊閉，雙手牢牢的抓著扶手。他點點頭，跟在薇吉妮亞後面。

達克斯拉開區隔駕駛艙與機艙的簾幕後，看到薇吉妮亞坐在副駕駛的椅子上，兩眼直盯著儀表板，莫蒂正在介紹那些開關和旋鈕的作用。兩根手把狀的操縱桿從控制面板突出來。在莫蒂點頭後，薇吉妮亞用恭敬的態度握住其中一根操縱桿。

「她害我失業了。」麥西伯伯說，他在副駕駛座位後面徘徊。

達克斯透過擋風玻璃望出去。現在，他們在雲層之上，地平線是一片淨藍。他想像數萬億隻甲蟲在下方的地球表面上爬行。等這件事結束，他要用一生的時間來了解這些無脊椎動物。他越想越確定法布林計畫背後的用意是好的。甲蟲可以用在環境醫治上。他想像甲蟲在掩埋場工作，分解垃圾；他想像開拓昆蟲農場，協助害蟲防治與授粉。他想起艾波亞教授的書，以及人類以養殖昆蟲取代牲畜的世界，聽起來是個適合生活的美好世界，值得去爭取。

他再次對盧克莉霞・卡特的基改甲蟲感到好奇，腦中響起了爸爸說過的話：**為了行善而產生的力量也可以用來行惡。掌握那股力量的人擁有選擇的權力**。

誰知道盧克莉霞・卡特在她實驗室裡創造的是哪種昆蟲，或是她打算拿那些昆蟲來做什麼？不過達克斯曉得，她也創造出成為他朋友、建立甲蟲山的生物，這表示創造出來行惡的甲蟲也可能是好的。

他抬起手來伸向坐在肩膀上的巴克斯特。這隻兜蟲就是活生生的證明，證實了盧克莉霞・卡特所做的事也能產生好的結果。他很希望爸爸能夠明白這點。一想到爸爸，達克斯就心痛。他到底在哪裡？是跟盧克莉霞．卡特在一起嗎？他是在跟她對抗，還是為她工作？

巴克斯特蹭了蹭達克斯的手指。

「巴克斯特，你餓了嗎？」達克斯退出駕駛艙，沿著走道來到機艙尾端，他將裝了甲蟲的旅行箱用安全帶固定在這裡的座位上。他鬆開安全帶，拉開旅行箱的拉鍊，掀開箱蓋。由於突如其來的光線，有些甲蟲費勁爬開，鑽進塞在茶杯之間的橡木覆蓋物裡，還有一些用後腿站起來，對著達克斯揮一揮腳。

「哈囉。」達克斯將手伸進旅行箱的前方口袋，掏出兩個袋子，一個裝了一塊塊的香蕉和甜瓜，另一個裝著一小盒一小盒的果凍。「巴克斯特說晚餐時間到了。」他把果凍盒及水果塊放置在旅行箱裡各處，好讓甲蟲能夠輕易找到食物，最後再放一塊香蕉在肩膀上。巴克斯特立即用兩隻前腿爬上香蕉，小口小口吃了起來。

「現在我得把你們再關起來了，」他對甲蟲說，「我不能讓你們在飛機裡四處閒逛。在我們遇到盧克莉霞．卡特的時候，我會需要你們每一隻。」

巴克斯特吃著香蕉時，達克斯在旅行箱旁邊的椅子上坐下來。柏托特的媽媽從走道另一邊打量著巴克斯特。

「牠的個頭很大，是吧？」她隔著安全距離仔細觀察兜蟲，皺起了鼻子。「我真不懂你們小孩子為什麼都那麼迷蟲子。」她搖搖頭，染成金色的長捲髮跟著彈跳。「小柏以前都讓我給他梳頭髮，可是自從那隻螢火蟲什麼的決定住在他的頭髮裡面以後，他就不准我靠近他的頭了。髒死了。」

「媽，沒有甲蟲的話，動物的糞便就會淹到你的膝蓋上了。」柏托特回應。

「哎喲，親親小柏，噁心死了！」她轉頭對兒子皺起眉頭，「大便不適合當作聊天的話題吧？」

「媽！」柏托特的臉皺成一團，「我告訴你幾百次了，不要再那樣叫我。」

「甲蟲做的不只是處理……糞便喔。」達克斯微笑著說，「牠們是鳥類和其他小型哺乳動物的食物鏈裡重要的一環，而且牠們會幫忙各種各樣的植物授粉。」

「我以為是蜜蜂幫忙授粉。」凱麗絲妲·布倫噘起嘴巴，「我喜歡蜜蜂，牠們會製造蜂蜜。」

「蜜蜂**的確**會幫忙植物授粉，」達克斯回答，「不過甲蟲也會。」他輕輕撫摸巴克斯特的翅鞘，轉頭凝視窗外，兜蟲繼續吃牠的晚餐。

達克斯被咚咚的腳步聲吵醒，麥西伯伯逼迫薇吉妮亞沿著走道朝他們走來，此時，莫蒂的聲音從擴音器傳來。「各位，把你們的甲蟲鎖起來，回到座位上坐好。我們快要到納薩爾蘇瓦克了。」

「我必須回駕駛艙協助降落。」麥西伯伯用抱歉的語氣說，然後匆匆走開。

「我想要幫忙降落，」薇吉妮亞嘟囔著說，「可是他們不准。關掉自動駕駛儀又不是我的錯。」

「也許在你試著讓飛機降落之前，先上幾堂飛行課程吧。」達克斯建議。薇吉妮亞幫他抬起甲蟲旅行箱，用安全帶固定在座位上，然後兩人匆忙回到自己的座位上。

當飛機下降到如木炭一般黑的海面上方時，達克斯看見白色的冰山從海水中突起，有如被淹沒的山頂。突然間，海洋出現盡頭，一條漆著白線的飛機跑道從水中升起，標示著通往內陸布魯西一，也就是納薩爾蘇瓦克航空基地的道路。

飛機降下輪子，擦過飛機跑道，平穩的著陸，然後放慢速度直到停下。

「莫蒂，降落得很完美！」薇吉妮亞大聲說，她將兩手彎成杯狀圈住嘴巴，好把聲音傳出去。

「這是機長報告。」莫蒂的聲音透過擴音器傳來，「你們現在可以自由解開安全帶，下飛機了。」

23 石川佑樹博士

一名穿著美國軍服的男人在飛機跑道上等候他們。

麥西伯伯將帶有毛圈的連帽羽絨外套分發給三個孩子，再把他自己的給了凱麗絲妲．布倫。

麥西伯伯打開機艙門，跳了下去。他和軍服男人交談了幾句後，男人繞到他的卡車後面，拿出一件軍隊制式的連帽夾克。麥西伯伯心懷感激的穿上夾克，三個孩子則把輕便的旅行袋和甲蟲旅行箱傳下來。

達克斯呼出的氣變成濃濃的白霧，刺痛了他的上嘴脣。即使穿著外套，天氣還是冷得刺骨。

那名軍人指向一臺引擎持續運轉的小型巴士。柏托特和薇吉妮亞把旅行袋堆到後座上，然後坐下來。達克斯將甲蟲旅行箱搬上車，放在他旁邊。莫蒂待在飛機上，為第二段旅程補充燃料。

格陵蘭時間現在才下午四點，可是天色已經黑得像半夜。麥西伯伯解釋，在極北的地方，冬季一天只有幾小時的日光。

巴士沿著清理過的道路行駛，經過一連串漆成紅色的正方形木造平房，全都嵌在三、四呎高的積雪之中。巴士司機告訴他們，納薩爾蘇瓦克只有一百六十位居民，在探險的遊客到來，或是科學家突然湧進小鎮時，人數才會翻倍。他說在冬季，氣溫會降到冰點以下，不過漫長的黑夜也使這裡成為體驗北極光的絕佳地點。

「我們要去的這個地方，」薇吉妮亞小聲對達克斯說，「ㄓˋ ㄨˋ ㄩˊ ㄢ，是什麼啊？」

「是樹木聚集的地方。」柏托特回答，他冷得渾身發抖。

「格陵蘭植物園由哥本哈根大學照管，」麥西伯伯說明，「裡頭有一百五十公頃的樹。這塊區域同時也是氣象站，用來蒐集氣溫、土壤性質的資料，以及一些有關氣候變遷的數據。」

「我們希望石川佑樹博士會在那裡。」達克斯打了個哆嗦補充說。

巴士停了下來。「巴士在這裡等著，」司機說，「避免困在雪裡面。」

「我跟巴士有同感。」凱麗絲姐．布倫透過格格作響的牙齒說。

達克斯、柏托特和薇吉妮亞出發，敏捷的大步走上碎石子路，路面因為積著淺淺的雪而變得鬆軟。巴士的車頭燈照亮他們的路。道路左邊是峽灣，海水在黑暗中看起來一片漆黑，幽靈似的冰山穿透其間；道路右邊那座山布滿岩石的山腳明顯可見，不過再往上就籠罩在白霧之中。

「喔，天哪，」凱麗絲妲．布倫哀怨的喊叫聲從後面傳來，「我穿的鞋子實在不適合這天氣。」

達克斯轉過頭去看，勉強壓抑住噗哧的笑聲，因為他瞧見柏托特的媽媽穿著點綴著粉紅愛心的紅色細高跟鞋，鞋子陷進積雪中；此外，她只穿著一雙不怎麼防寒的薄尼龍褲襪，膝蓋直打顫。

柏托特嘆口氣，走回媽媽身邊。在她艱難的在雪中行走時，牽住她的手。

「你們看！」達克斯發現前方的燈光大聲喊，「植物園。」

「但願石川博士會在那裡迎接我們。」麥西伯伯說。

「**但願？**」凱麗絲妲．布倫高聲數落，「拜託，別告訴我，我們大老遠來到格陵蘭凍死人的雪地裡，出其不意的拜訪一個可能不在家的人？」

「你跟他說過我們要來吧？」達克斯問麥西伯伯。

「我盡力了。」麥西伯伯一臉歉意的笑了笑，「我提前發了訊息，寄給林業技師。我提到我們會經過，如果石川博士同意見我們的話，我們想跟他談一談。」

「你不能打個電話給他嗎？」薇吉妮亞似乎不買麥西伯伯的帳。

「他沒有電話。」麥西伯伯答覆，「我得到可靠的消息，石川博士不輕易見人，只有在他想要的時候才能找到他。」

「幹麼這麼神祕兮兮的？」達克斯問。

「石川博士喜歡昆蟲的陪伴勝過人，」麥西伯伯說，「他是個隱士，獨自住在植物園的某個角落。外界要跟他聯絡只有透過大學。」

「微生物學家到底是做什麼的？」柏托特問。

「他們是顯微鏡專家，」麥西伯伯回答，「他們識別疾病、測試藥物、調查微生物——石川博士的專業領域是利用微生物來分解有毒物質。他發現了幾種對付汙染的天然方法。」

「他為什麼會參與法布林計畫？」達克斯問。

「那時候，石川博士主要研究的是食物。他測試食物裡的細菌、病毒及毒素。石川博士對證明食蟲的安全性很感興趣。這個詞的意思是——」

「吃蟲，」薇吉妮亞插嘴，「嗯，我們知道。」

麥西伯伯挑起眉毛。「石川博士跟你媽媽合作得很密切，達克斯。」

「真的嗎？」達克斯感覺胃絞了一下，「那我希望他在那裡。」

黑暗中出現了一棟有一排方形窗戶的矩形建築，和小鎮上的建築物漆成同樣的紅色。

「我們到了。地球科學與自然資源管理學系。」麥西伯伯舉起拳頭敲門。一位身穿藍色套頭厚毛衣、蓄著鬍子的高大男人開了門。

「卡托教授，歡迎歡迎。」他充滿活力的握了握麥西伯伯的手，「我是維果。我一直在等著你。」

麥西伯伯進門後，一一介紹每位成員，同時大家一窩蜂跨過門檻，急著擺脫冰冷的黑夜，進入溫暖當中。

維果帶領他們沿著走廊走進中央的廳房，裡頭有燒木柴的火爐和一間小廚房。他向他們說明他是林業技師。「在冬季的這幾個月裡，我們通常沒有訪客。」他說。

「我們想跟石川佑樹博士談談。」麥西伯伯說。

維果挑起眉毛。「你們可能要等很久喔。我能為你們沖杯咖啡嗎？」

「茶、茶……你有茶嗎？」凱麗絲妲．布倫全身都在發抖，「我需要一杯茶。我想我已經失溫了。我的皮膚是不是發青？」

維果看了看她的鞋子。「你要一雙拖鞋嗎？」

「我不想麻煩你。」凱麗絲妲．布倫對林業技師搧了搧睫毛，發出嗚咽的聲音。

柏托特站到他媽媽前面。「有拖鞋就太好了，謝謝你，另外你有沒有多的運動長褲，或是毛毯？」他帶著媽媽走到燒著木柴的火爐前，讓她坐下來，再脫掉她的高跟鞋，用雙手揉搓她的腳，直到維果抱著一堆衣服回來。

麥西伯伯將水壺放上爐子燒，開開關關櫥櫃，直到他找到杯子。

薇吉妮亞看著達克斯。「你覺得石川博士會露面嗎？」

「我不曉得，」他聳了聳肩，「不過我更擔心巴克斯特。你看，」達克斯抬起手讓薇吉妮亞看一下兜蟲。「牠看起來好像在睡覺，不過其實並不是。」他用一根手指摸摸甲蟲的頭下面，這個動作通常會喚醒牠。「馬文還好嗎？」

薇吉妮亞脫掉兜帽，歪著頭讓馬文依附的那根髮辮從臉龐垂下來。她用拇指和食指順著辮子往下摸，另一隻空著的手在下面等著。馬文掉到她的手掌上。牠似乎有點嚇呆了，不過比巴克斯特警醒一些。

「柏托特。」達克斯叫他過來，「牛頓還好嗎？巴克斯特昏昏欲睡，而馬文的反應有點慢。」

「牛頓？」柏托特對他那綹白色捲髮低聲說，「醒醒。」

螢火蟲飛了起來，在半空中往下掉，又笨拙的往上飛，發出忽停忽動的嗡嗡聲。柏托特伸出雙手接住甲蟲。

達克斯低頭看著他深愛的兜蟲，牠一動也不動。「我不知道牠怎麼了。」

「牠們太冷了。」一個陌生的聲音從黑漆漆的走廊低聲說。

達克斯抬起頭看，辨識出一個男人的剪影。

「太冷？」他重複一遍。

「對。想想看，你們的無脊椎動物是從哪裡來的？不是冰天雪地的國度。」

那人穿著厚外套，個子不比達克斯高多少。

「你們的甲蟲是從非常炎熱的國度來的，那裡的空氣飽含水分。」

達克斯低頭看向巴克斯特。「牠很冷？」

「而且口渴。」

「那我該怎麼做呢？」

那人招手示意，達克斯走到走廊上，薇吉妮亞和柏托特跟在後頭，對這個陌生人半信半疑。那人解開外套上的釦子，再拉開第二件保暖外套的拉鍊。他的脖子上戴了一條細鍊子，下面掛著一個金屬細絲製的格子籠，大小像鉛筆盒一樣。籠子底部鋪著闊葉植物的莖，有個裝了水的頂針嵌在基座裡。籠子裡面有隻達克斯所見過最漂亮的螳螂。

「這隻是大魔花螳螂，我叫牠曉男。牠來自衣索比亞，不喜歡寒冷，所以我必須把牠放在外套裡面，貼近我的心臟，幫牠保暖。」

達克斯直視男人的眼睛。他的黑眼睛看起來很平靜，臉上的皮膚飽經風霜，像皮革一樣粗糙。他的眉毛灰白，笑起來時眼周出現了和藹的皺紋。「你的南洋大兜蟲有籠子嗎？」

達克斯搖搖頭。「巴克斯特喜歡自由。」

「待在溫暖舒適的籠子裡總比白由凍死好吧。你同意嗎？」

達克斯點了點頭。

「我相信一定能找到什麼東西給你的朋友。」他伸進口袋，拿出一個用燈心草編成的小籃子。他掀起蓋子後，達克斯看出那原木是個眼鏡盒。那人從另一個口袋掏出一根安全別針，接著拿著蓋子，指示達克斯拉開外套，熟練的將燈心草籃別在外套的內襯上，與達克斯的心臟齊高。他指了指巴克斯特。「把你朋友放進籃子裡，在外面的時候要把外套扣好。」

「你就是石川佑樹博士，對不對？」達克斯一面說，一面將巴克斯特放進牠的新床鋪，再把外套扣好。

那人把雙手合十，鞠了個躬。「你是傑出的卡托博士和最令人驚嘆的馬汀－琵雅拉博士的孩子？」

達克斯試著模仿石川佑樹博士鞠躬。「我叫達克斯。」

薇吉妮亞和柏托特拖著腳步走向前。

「你是來幫我們的嗎？」柏托特問。

「你們也有受凍的甲蟲嗎？」石川佑樹博士的眉毛揚起。

「對，不過，」薇吉妮亞說，「我們也需要你幫忙阻止盧克莉霞．卡特。」

「阻止盧克莉霞．卡特？」石川佑樹把頭歪向一邊，「什麼意思？」

「盧克莉霞．卡特就是露西．強斯登。她綁架了人，一個名叫史賓賽的男孩，也綁架過我爸爸，而且她飼養基改甲蟲。」達克斯說。

「她打算做壞事。在電影獎的頒獎典禮上，全世界的面前。」柏托特補充說。

「孩子，我是個科學家。」石川佑樹博士的眉頭皺起來，搖搖頭說，「我的研究很重要，我不能為了綁架和電視浪費時間，離開我的工作。氣候正在變遷，而且速度很快。」他鞠個躬，往後退一步。「見到你我很高興，達克斯．卡托。我非常喜歡並且敬重你的母親。你要好好照顧你的甲蟲。」

「等一下！」達克斯大喊，「我爸爸想要阻止盧克莉霞．卡特做出可怕的事，但他沒辦法單打獨鬥。你得幫幫他。」

「你爸爸和露西．強斯登在一起？」石川佑樹博士的眉毛挑起來。

達克斯點頭。

他搖搖頭。「我不和人爭鬥，我天生不擅長爭鬥。」他拍一拍肚子，輕聲笑了笑。「光憑我的身材你也應該看得出來。不，我的興趣是觀察自然界最微小的物種。如果我發現了人為造成的不平衡，我就尋找自然的制衡力。」

「可是你一定要幫忙啊。」達克斯感到失落，「麥西伯伯說盧克莉霞．卡特怕你。」

「哈！這恭維我可擔當不起。」他微微一笑。

「可是我們只有你了。」達克斯的心沉了下去，「艾波亞教授被她的甲蟲咬傷、昏迷不醒，我爸爸又不在。」他的聲音顫抖。「我關心的人都受到傷害。你不能袖手旁觀啊。」

「卡托少爺，你想要我做什麼呢？」

「我不知道，」達克斯承認，「只是……她不是人類。」

「我們都是血肉之軀。」

「不是！」達克斯搖頭，「盧克莉霞．卡特一半是甲蟲。」

石川佑樹博士的頭猛然往後仰。「一半是甲蟲？」

「她有複眼。」薇吉妮亞用力點頭。

「還有長了尖刺的幾丁質的腿，跟取代腳的爪子。」柏托特補充說明。

石川佑樹博士的眼睛瞪得大大的。「你們看過這些東西？」

三個孩子點點頭。

「把自己變成昆蟲……」他的眉毛挑起，「從人類形態改造的變態……」他搖頭。「那會需要最複雜的科學技術呀。」

「我們沒有說謊。」達克斯強調。

石川佑樹博士笑了。「編出這麼大的謊言就太傻了，謊言必須聽起來可信。當你們告訴別人自己看到了什麼的時候，有多少人相信你們呢？」

「一個都沒有。」達克斯承認。

「這正是我為什麼相信那是實話的原因……不過，我還是沒辦法幫你們。」他把一手放在達克斯的肩膀上，「你們擁有的最大武器就是知識。想想看，達克斯。你們知道她的本質。每種生物都有天敵，自然界就是靠這樣維持平衡。」

「我們今晚會住在布魯西一。」麥西伯伯的聲音從達克斯身後傳來。達克斯轉過身去，看見他恭敬的站在一段距離之外。「在航空基地裡。你要是改變心意的話，我們明天早上才飛往洛杉磯。」他又補了一句。

「抱歉，」石川佑樹博士看著三個孩子，「我不是你們要找的戰士。」他指向達克斯的心口。「你們的甲蟲不喜歡格陵蘭的氣候，記得幫牠們保暖。」

他鞠了個躬後便轉身離開。

24 聽天使報佳音

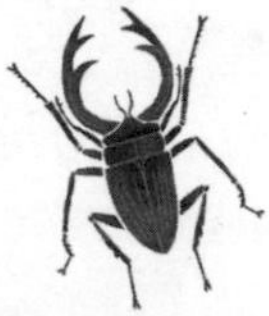

洛杉磯非常的矛盾——到處覆蓋著假雪，點綴著發光的小飾物，但是天氣暖和，天空湛藍無雲。令人讚嘆的耶誕節裝置藝術和閃亮的裝飾品籠罩著餐廳前院和房舍屋頂。商店與小餐館大聲播放著耶誕組曲，在麥西伯伯從機場開車載著他們時，透過敞開的車窗隨風飄進來。柏托特的媽媽開心的哼著每一首歌，在車子行進時從一首切換到下一首。「誰會不愛耶誕歌呢？我和柏托特每年耶誕夜都會去參加耶誕頌歌禮拜。」她嘆息說，「那真是美妙極了。」

他們朝內陸駛去，前往好萊塢劇院看舉行電影獎頒獎典禮的會場。莫蒂和麥西伯伯坐在最前面，凱麗絲姐．布倫坐後面，擠在達克斯與柏托特中間。車輛沿著海岸邊、兩側立著棕櫚樹的大道行駛時，柏托特和薇吉妮亞像狗一樣把頭伸出車窗外。

「我們終於離開了灰濛濛又陰雨綿綿的老英格蘭了！」薇吉妮亞高聲大笑。她滿面笑容，眼睛閃閃發亮。「洛杉磯真是燦爛，感覺好像透過黃色濾鏡在看東西。」

達克斯無力的笑了笑，但是他無法感受薇吉妮亞的興奮。自從石川佑樹博士拒絕幫他們之後，他就一直在擔心電影獎的事。他之前非常確定這位科學家會有所有的答案，成為他們的祕密武器。現在達克斯領悟到只能靠他們自己和甲蟲了。

他一直回想起華勒斯太太的話：「你們只是小孩子而已」，還有他爸爸說的：「你和你朋友認為這是某種幼稚的偵探遊戲」。達克斯感到很不安，他意識到自己仍然不知道爸爸在哪裡，或是該如何幫助他。他也不知道盧克莉霞．卡特計劃了什麼，雖然他曾措詞強烈的說要讓她為燒死甲蟲付出代價，但那些話感覺空洞而毫無意義。

好萊塢劇院外面搭著鷹架，為了接待紅毯上的名流嘉賓，搭起了巨大、金色的門面。一大群身穿黑西裝的男人戴著耳機，手持無線對講機，在會場周邊站著或走來走去，同時一群喧鬧的遊客正在拍照。

「沒有邀請函，我們要怎麼進去裡面呢？」達克斯說出心中的疑惑。

「我們需要諾娃協助。」柏托特回應。

「還有不可思議的好運氣。」薇吉妮亞點頭。

「我可以用我的性感迷亂他們！」凱麗絲妲．布倫說著將金色捲髮撩到頭頂上，噘起嘴脣。

「嗯，這行不通吧。」柏托特咕噥著說。

「或許我會被好萊塢星探發掘，他會邀請我當他的嘉賓，參加頒獎典禮！」凱麗絲妲倒吸了一口氣，想像著那一刻，一面擺出各種表情。

「我以為我們來這裡是要找達克斯的爸爸，幫他對付盧克莉霞．卡特。」莫蒂單刀直入的說。

「喔，是啊，那當然，」凱麗絲妲回答，「我的意思是，如果有星探剛好注意到我……我是說，當然我們會先進行解救、對抗的部分……不過也許事後，要是有時間的話，我可以去參加兩、三場試鏡……」看見莫蒂臉上不贊同的表情，她越說越小聲。

「我在電視上看過好多次，」柏托特看著窗外的劇院說，「在現實中似乎比較小呢。」

他們目不轉睛的看著好萊塢劇院，了解到他們為自己設下的挑戰。在他們記下這棟建築物的細節之後，莫蒂宣布該走了。他們今天已經累了一整天。

莫蒂的家在城鎮另一端的林肯高地，是洛杉磯的古老郊區，位在同名的公園北邊。在莫札特街上，有少許維多利亞式樓房散布在雜亂延伸的平房當中，成為特別的景觀。

「就是那間。」莫蒂指向一間遮著天藍色護牆板的屋子，門前有座臺階。雖然油漆有幾處剝落，屋頂也有一、兩塊磁磚鬆脫，不過看起來十分舒適。

麥西伯伯靠邊停好車後，他們一窩蜂下車，身體因為旅行而僵硬疲憊。達克斯幫忙伯伯將旅行袋搬下來，並且負責看管甲蟲旅行箱。

「你住在這裡嗎？」莫蒂從口袋掏出一串鑰匙打開前門時，柏托特問。

「不是，」莫蒂回答，「我住在開羅。這地方是我在為洛杉磯自然歷史博物館工作時買的，平常都租出去，不過我有一陣子沒回來了。沒人住的時候，我鄰居瓦倫蒂娜會幫我看著。」她蹓躂到開放式的生活空間裡，唰一聲拉開窗簾，揚起了蟄伏的灰塵。

柏托特咳了起來。「一陣子是多久啊？」

「三年。」

「哎呀，這地方真是不錯啊，不是嗎？」麥西伯伯放下旅行袋說。

「棒極了。」薇吉妮亞同意，環顧著幾乎毫無裝潢的房子。

「髒兮兮的。」凱麗絲妲·布倫說，她捲起袖子，快步走向廚房水槽去找抹布。

莫蒂翻了個白眼，將圓形眼鏡往鼻子上推。「孩子跟甲蟲可以用那間大臥室。麥西，你睡沙發，凱麗絲妲可以跟我合鋪。」

「合鋪？」凱麗絲妲轉過身去。

「你可以跟我睡同一張床。」

「喔，我懂了。」凱麗絲妲說，看起不大滿意。「謝謝。」

「太好了。」麥西伯伯拍拍手，「那麼，我們可以馬上來點咖啡嗎？我累斃了，簡直可以倒頭就睡。」

達克斯盤腿坐在地板中間，打開旅行箱，有條不紊的檢查所有的甲蟲，看牠們在長途旅行後是否無恙。薇吉妮亞跟柏托特在他身旁坐下來。柏托特的媽媽擦拭房間各處的表面，每發現灰塵就不住的發出嘖嘖聲。

「牠們都還好嗎？」柏托特問，彎下身子看著旅行箱。

達克斯點點頭。「該在的都在。」

「怎麼了？」薇吉妮亞把頭歪向一邊，「自從我們離開格陵蘭後，你都沒說什麼話。」

「我在擔心我爸的事。」達克斯承認，「萬一我們大老遠跑來，卻不能進去劇院。或者，」他停頓一下，「萬一他看到我們很生氣怎麼辦？」

「達克斯，」薇吉妮亞低下頭，好直視他的眼睛。「你爸爸沒辦法對付盧克莉霞・卡特的甲蟲。沒有一個人類辦得到。我們需要讓同類對抗，甲蟲對甲蟲。」她指著旅行箱。「你是除了盧克莉霞・卡特以外，唯一擁有一大群甲蟲的人。他會需要你幫忙的。」

「而且諾娃會幫助我們混進劇院的，我很確定。」柏托特點了點頭，「我們只需要找到她。」

「可是再過兩天就是頒獎典禮了，我們連盧克莉霞・卡特的房子在哪裡都不曉得，」達克斯說，「又要怎麼找到諾娃？」

「我曉得盧克莉霞・卡特住在哪裡啊。」柏托特的媽媽用開朗的語氣說。

「你曉得？」柏托特皺眉，他們全都一臉驚訝的仰頭看她。

「當然嘍。盧克莉霞・卡特住在丘冠二三七號。她是在七年前從湯姆・尚克斯手中買下來的，湯姆・尚克斯因為和菲兒・彼得斯離婚，不得不賣掉。《食慾》雜誌裡頭登過這消息。」

「媽，你太厲害了。」柏托特對媽媽微笑，她高興得紅了臉，回頭繼續打掃，一面清潔一面開心的哼著《聽天使報佳音》。

「有了！我想到了一個點子。」薇吉妮亞把雙手重重拍在面前的地板上。她看著達克斯跟柏托特，眼睛閃爍著淘氣的光芒。「我知道要怎麼跟諾娃聯繫了，不過我們需要喬裝打扮一下。」

「喔！我來！我來！」柏托特的媽媽跳上跳下，「對不起，我真的不是在偷聽。呃，或許有一點啦，不過這件事我可以幫忙。」她在原地轉了一圈。「我很擅長打理服裝喔，劇院裡有很多戲服。」

「是喬裝打扮啦。」薇吉妮亞糾正她。

「是，當然，是喬裝打扮。」凱麗絲妲．布倫咯咯笑著。

25 榮耀歸於至高達克斯

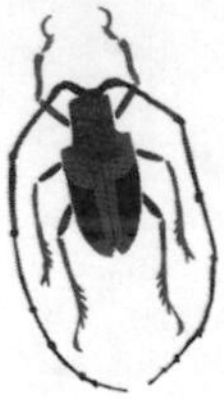

「我們的機會來了。**快點！**」達克斯壓低聲音說。這時，一輛送貨車停在門前，一個年輕人把身體探出窗外，按下對講機。

他們三個人躲在丘冠二二七號馬路對面的小樹叢裡，穿著偽裝的衣服，等了一個多小時。達克斯戴著棒球帽和柏托特的大眼鏡，身穿迷彩夾克，把衣領豎起來，盡可能遮住臉，因為他是最有可能被認出來的；薇吉妮亞選擇打扮成男孩子，在長袖T恤外面套一件寬大的短袖滑板T恤，頭戴毛線帽，穿著牛仔褲；柏托特的媽媽將柏托特的頭髮兩邊往後梳，再讓他穿上衝浪短褲和超大的夏威夷衫。

達克斯、薇吉妮亞和柏托特衝出樹叢，跑到送貨車後面，悄悄溜進即將關上的大門。他們小心翼翼沿著車道走，車道長而彎曲，環繞著宮殿似的豪宅。他們望向修剪得過於整齊的花園，矮小的黃楊樹籬排成漩渦圖案，包圍著浮誇的噴泉。

「看看那個游泳池。」薇吉妮亞吹了聲口哨，指向屋子另一邊一望無際的碧藍水池。

「我好害怕喔。」柏托特咕噥著說。

「害怕沒什麼不好啊。」薇吉妮亞邊說邊將鬆脫的髮辮塞回毛線帽裡，「可以讓你跑得快一點。」

那個送貨的男人已經繞到屋子後面消失了，周圍似乎都沒有人。「我們現在要怎麼做？」柏托特低聲問。

「我提議我們直接到前門去按門鈴。」達克斯說。

「好主意。」薇吉妮亞點頭。

「萬一她養了會攻擊人的狗，」柏托特說，他緊張不安的拉扯著夏威夷衫。「或是會攻擊人的甲蟲怎麼辦？」

「那麼我們越快趕到前門去越好。」達克斯回答，他把柏托特的眼鏡挪到鼻尖，再將帽子拉下來遮住眼睛。「該給卡特豪宅帶來一些節慶的氣氛了。」他咧嘴一笑，將兩手胡亂插進牛仔褲口袋，肩膀高聳到耳朵旁。

諾娃感覺一滴汗珠順著髮際線流下，午後的熱度似乎因房間內威脅的氛圍更增添了幾分。她坐在一張巨大的黑色皮沙發的角落，臉上毫無表情。

美國讓諾娃覺得自己很渺小。這裡的一切都很大：馬路寬大，房間寬敞，就連家具都碩大無比。她極度想去東翼安全、乏味的房間，也就是她的寢室裡，可是瑪泰堅持大家要在晚餐前喝點酒。

「對於電影獎你一定很興奮吧？」達克斯的爸爸說，「入圍最佳女主角相當難能可貴呢。」

諾娃感覺臉頰發燙，點了點頭。

「那部電影枯燥乏味，淨說些多愁善感的無聊蠢話。」瑪泰說著拿起水晶酒瓶，為他的杯子添滿酒。「她得到提名是因為我賄賂了對的人。」

「喔！」諾娃垂頭喪氣的說，「我還以為是因為我演得很好。」

盧克莉霞．卡特大笑起來。「孩子，幸好你永遠不必靠演技吃飯。」

達克斯的爸爸仔細看著杯子，彷彿覺得杯底的冰塊非常有趣。「露西，我不懂你參加頒獎典禮要做什麼，你向來討厭各種典禮，我們不能跳過典禮，直接去你的百歐姆嗎？」他抬起頭來對她露出迷人的微笑。「你從來沒說過你的百歐姆在哪裡？」

「是沒有。」盧克莉霞．卡特用指尖撫摸著杯緣，「你永遠不會知道確切的地點，因

為在頒獎典禮過後，你要蒙上眼睛去那裡。」

「我明白了。」巴索勒繆．卡托不自在的大笑。「你不覺得我們玩派對遊戲有點太老了嗎？」

「我總不會想讓全世界知道我的祕密藏在哪裡，對吧？」

「我想是這樣沒錯。」巴索勒繆．卡托挑起單邊眉毛，「那至少跟我說明一下電影獎的事吧。」

「巴索勒繆，你向來不是那麼好出風頭的人，」盧克莉霞．卡特回答，「不過我了解盛大慶典的力量。偉大的國王和女王利用盛大慶典來彰顯他們的權威。電影獎頒獎典禮是我選擇躍上世界舞臺的時刻。」她猛然把戴滿鑽戒的手伸向空中。「以一種新的領袖身分。」

房間內一陣沉默，諾娃盯著地板，感覺非常尷尬。

「我不想對你的想法潑冷水，」巴索勒繆．卡托說，「可是你憑什麼認為會有人注意到呢？」

「喔，他們會注意到的。」盧克莉霞．卡特挺直了身體，「全世界將會在我面前跪下顫抖。」

「好吧，我明白了。」他微微聳了下肩，「我還有一個問題。」

「什麼問題？」瑪泰咆哮，他沒有表示欽佩令她氣惱。

「我們到底什麼時候要進實驗室？」達克斯的爸爸放下酒杯，「搭乘里爾噴射機閒晃，在飯店房間和著名的女演員見面，計劃統治世界，這一切是很棒沒錯，不過實在不是我的興趣。你答應過我，我可以從事頂尖的鞘翅目基因轉殖的研究，所以我才在這裡。我迫不及待想要開始，而且我必須承認，」他環視房間，彷彿在找棋盤，或是什麼可以讓他打發時間的東西，「我開始有點無聊了。」

看到瑪泰臉上的表情，諾娃得全力強忍住大笑的衝動。

「無聊？」她厲聲說。

「嗯，對啊，」達克斯的爸爸點頭，「不過只有一點而已。」

盧克莉霞．卡特突然站了起來。「好吧，我們不能讓你覺得無聊，」她厲聲說，「我來向你介紹我的飛行小麥象吧。」

「什麼？」巴索勒繆站起來，「小麥象不會飛呀！」

「喔，不過我的會。」盧克莉霞．卡特說著趾高氣揚的走出房間，「而且牠們喜歡新鮮的小麥。」

達克斯的爸爸跟在她後面，諾娃突然發覺剩下自己一個人。她動也不動的坐了一會兒，確定沒有人回來，然後彎下身子靠近手腕。

「赫本，」她悄聲說，掀開手鐲暗格的蓋子。「你還好嗎？」

一對纖細的觸鬚朝她搖一搖，諾娃鬆口氣，感到一股暖流。

「來吧，我們去給你弄點晚餐。」

達克斯拉下門鈴繩，遠處鈴聲應聲響起。他想知道爸爸是不是在這棟屋子的某處。他閉上眼睛祈禱是諾娃來開門。

門打開了。是傑拉德。達克斯把頭垂得低低的，以免管家看到他的臉。

「什麼事？」管家盯著三個孩子，「你們需要什麼嗎？」

「**我們祝你耶誕快樂……**」達克斯半唱半吼。

薇吉妮亞和柏托特也加入，粗聲唱著。「**我們祝你耶誕快樂，我們祝你耶誕快樂，達克斯新年快樂！**」

「先生，你好，」薇吉妮亞說著抓起管家的手握了握，「我們正在募款，是幫那個，呃，那個……」

「洛杉磯慈善機構的孤兒，」柏托特用完美的美國腔拖長語調說，「我們想用節慶的歌曲作為交換，希望你能慷慨捐款，在耶誕時節幫助可憐的孤兒。」

「**平安夜，**」達克斯高聲唱，「**達克斯夜，萬暗中，光華射……**」

「**呀，呀，呀，達克斯！**」薇吉妮亞大聲喊著跳來跳去，努力模仿饒舌歌手。

「孩子，拜託！」傑拉德打斷他們，「你們吵死人了。雖然是耶誕節，不過恐怕我幫不了你們。我們不捐款給慈善機構。」

「可是看看你的家！」薇吉妮亞大聲叫嚷，效法柏托特投入扮演的角色。「那可是鋪天蓋地的美金啊，老兄。」她從牙齒間吹出口哨，用單腳在門階上前後蹦跳。

傑拉德發出噓聲趕她離開屋子，達克斯又努力用最大的嗓門唱起歌來。他們需要諾娃聽見他們的聲音。「**願主賜您歡欣，先生，讓您事事順心，因為今年耶誕節達克斯有訊息要傳給您。**」

柏托特吸一大口氣，高聲唱：「**榮——耀歸於至高達克斯！**」

「夠了！」傑拉德大喊，「你們再不離開，我就要報警了。」

「老兄！」柏托特大聲叫嚷，「報警？先生，你要跟他們說什麼？三個孩子為了幫助窮人唱歌給您聽？這又不是謀殺或搶劫，對吧，先生？我們沒有武器，只有歌聲和崇高的理念。我相信警察會叫你在年終的這個節日裡，捐錢給洛杉磯可憐的孤兒。」

達克斯瞪大眼睛看著柏托特，非常驚訝他的演技竟然這麼好。他從眼角餘光看見諾娃出現在門口。他朝她揮揮手，摘下眼鏡，舉起帽子。

她發出一聲尖叫。

達克斯重新戴上帽子和眼鏡，在原地上下蹦跳，開始說唱：「**古時候在達克斯城中，有座卑微的甲蟲棚，啊！哈！啊！哈！沒錯，我並沒有死！**」

「**Arrêtez（停下來）！**」傑拉德舉起雙手，「**停！夠了！別唱了！**你們嚇到我們家小姐了。」

「他們沒有嚇到我，傑拉德。」諾娃急忙走上前，「我只是很驚訝而已。」

「我們在為洛杉磯的孤兒募款，」柏托特說，「好讓他們在耶誕節能夠拿到禮物。」

「喔，聽起來像是個很好的慈善機構。」諾娃微笑，「我很樂意捐獻。」

「小姐，」傑拉德壓低聲音說，「您母親要是看到這群孩子在這裡，她會不高興的。」

「嗯，我知道，」諾娃點點頭，「我會送他們到大門去，在那裡給他們捐款。」

「不，由我來吧。」

「喔，傑拉德，」諾娃抬頭看他，對他搧了搧睫毛，「我想去嘛。我很少看到跟我同年的孩子。」

「遵命，小姐。不過，」傑拉德低下頭，「別讓夫人看見您。」

「感謝你。」諾娃用誇張的語氣說，然後再度轉向達克斯，眼睛閃閃發亮。「跟我來。」她說著走過他身邊。

達克斯跟著她走，回頭看了一眼。傑拉德正注意著他們。

「我以為你死了！」諾娃激動的小聲說，「瑪泰說她開槍射了你，可是你還活著！你還活著！你怎麼可以讓我以為你死了呢？你曉得那感覺有多糟糕嗎？我哭了又哭。我知道你不能來找我，可是過了將近兩個月了。**兩個月耶！**你至少可以傳個訊息吧。」

管家無法再聽見他們的聲音，不過他仍密切注意著。

「她的確開槍射我，」達克斯說，「射中我的肩膀。子彈正好穿過去。」

「喔。」諾娃的腳步動搖，不過繼續往前走。「對不起。」

「不，該道歉的是我。你說得沒錯，我應該一出院就傳訊息給你。我擔心會給你帶來麻煩。」達克斯說著冒險看了諾娃一眼，露出笑容。「諾娃，你有看到我爸爸嗎？我得找到他。」

「咦，有啊，他在這裡。可是，」諾娃停頓了一下，「他在跟瑪泰一起工作。」

「喔！真的啊！」達克斯說，留意到薇吉妮亞看了柏托特一眼。「所以他沒事，對吧？」

「對，瑪泰很喜歡他。」諾娃點點頭，「她甚至允許他跟她意見不同！」

達克斯不知該說什麼，心裡覺得很不舒服。

當車道彎過黃楊樹籬的草坪時，他們終於隱藏在管家的視線之外。柏托特急忙走向前，從達克斯臉上取下他的眼鏡好看清楚，然後一把握住諾娃的手上下搖晃。

「真高興見到你，」他繼續握著諾娃的手說，「我覺得你很棒。我叫柏托特，是達克斯的朋友。我通常不是這副模樣，我平常的穿著好多了。你穿的是香奈兒嗎？你看起來漂亮極了。」

「嗨，柏托特，」諾娃咯咯笑著抽回她的手，「達克斯告訴我很多你的事，不過他沒告訴我你的美國口音說得那麼好。」

「我的確不曉得啊。」達克斯說。

「謝謝。」柏托特高興得臉都紅了，「我幫我媽練習試鏡，不過我不像你是天賦異稟。」

「喔，我沒什麼天賦。」諾娃回答，她的頭垂下來。「算不上有。」

「你千萬不要那麼說，」柏托特倒吸一口氣，「看看你是怎麼幫忙達克斯的。哎呀，你一定每天都很努力演戲才能避開麻煩吧。」

「他說得沒錯，」薇吉妮亞走向前，點了點頭。「你肯定非常厲害。嗨，我是薇吉妮亞。」

諾娃露出滿面笑容。「很高興見到你們兩位。」她看向達克斯，「可是你們到美國來做什麼？你伯伯收到了我的信嗎？甲蟲沒事吧？」

「我們收到你的信了。」達克斯說。

「喔，謝天謝地！」諾娃拍拍手，「你們救了甲蟲山嗎？」

達克斯搖搖頭，接著是一陣令人難受的沉默。

諾娃兩手垂了下來。「喔，不。」

「牠們沒有全部死掉，」柏托特說，「我們成功救出了一些。」

「對不起。」諾娃的下嘴脣顫抖，「我，我試著……」

「那不是你的錯，」達克斯說，「要是我們沒收到你的信，情況會更糟糕。」

「你救了我一命。」柏托特點頭，「我本來可能會被燒成焦炭。」

「諾娃，」達克斯說，「我們知道盧克莉霞．卡特計劃在頒獎典禮上幹些可怕的事。你知道是什麼事嗎？」

「喔，天啊。」諾娃咬著下嘴脣，「嗯，我聽見她跟你爸爸談到盛大慶典和當領袖的事，不過我實在不懂她在說什麼。」

「那我爸爸怎麼反應？」達克斯傾身向前問。

「很好笑，」諾娃咯咯笑了，「他一副對瑪泰的計畫興致缺缺的樣子，還問什麼時候開始進行她答應過他的科學研究工作。」

「他沒有試圖阻止她？」達克斯感到震驚。

「嗯，沒有。」諾娃搖頭，「他最煩惱的似乎是她做出了會飛的小麥象。」

達克斯皺了皺眉。爸爸在做什麼？難道他真的在跟盧克莉霞．卡特合作？

「你曉得盧克莉霞．卡特打算怎麼控制頒獎典禮嗎？」薇吉妮亞問。

「不曉得，不過我知道她為跟我入圍同一個獎項的女演員製作禮服。我還沒看到我的，不過史黛拉．曼寧的禮服上布滿了翠綠的吉丁蟲。那是我以前從沒看過的種類，好像是混過虎甲蟲的雜交種。」

「你見過史黛拉．曼寧？」柏托特尖聲說。

諾娃點一下頭。「她的禮服超美的。」

「我迫不及待想看了。」柏托特拍手說，「喔，我有個東西要給你。」他翻了一下口袋，拿出一張紙。「這是摩斯密碼，我們已經教會我們的甲蟲了。如果你教會赫本，牠就可以送訊息給我們。」

諾娃迅速打開手鐲上蓋，赫本飛了出來，繞一圈後停在她的手上。

「你也有甲蟲嗎？」她問柏托特。

「有。」柏托特往上看，「牛頓，出來打個招呼吧。」

牛頓飛快從柏托特的頭髮上爬出來，朝諾娃閃了閃肚子。

「哇，好美喔！」她倒吸了一口氣。

「夜裡黑漆漆的時候看起來更漂亮。」

「諾娃，我知道電影獎就在明天了，不過你想你有辦法讓我們進劇院嗎？」達克斯問，「不論盧克莉霞．卡特計劃做什麼，我們想在我爸試著阻止她的時候，在那裡助他一臂之力。」

「他打算阻止她？」諾娃感到驚訝的說。

「我敢肯定。」達克斯點點頭。

一個光頭、肌肉發達的剪影走到盧克莉霞．卡特屋子前面的草坪上。

「是毛陵！」諾娃一臉驚恐，「交給我吧。我會想辦法讓你們進頒獎典禮會場，」她一面保證，一面慢慢倒著走。「你們儘量靠近劇院，我會派赫本帶消息給你們。」她望向草坪另一頭的毛陵。

「我們有六個人，」達克斯說，「我們和三個大人。」

「抱歉，我得走了。」她邊轉身後退邊回頭看，「謝謝你們來，我還以為我只有一個人。」

26 行李

亨弗利．甘寶不理會別人的目光，邁著重重的腳步穿過洛杉磯機場，找尋行李領取處的指示牌。他穿了一身大雜燴，都是他和皮克林在機場停車場旁的資源回收桶裡找到的衣服，沒有一件合身，全都太小。他用一條花花綠綠的草履蟲花紋領帶穿過長褲的皮帶環，不是為了避免褲子往下掉，而是要把褲子繫住，因為褲頭拉鍊拉不起來。綠色喇叭褲的長度只到他的小腿，粉紅與黃色條紋的俗豔襯衫儘管頭兩個鈕釦沒扣，依然勒得他難以呼吸。他穿了件特大號的紫褐色背心，掩飾襯衫遮不住肚子的事實。

發現行李提領處後，他走向將他從倫敦載到美國的那架飛機班機號碼下面的輸送帶。他在尋找海軍藍的大旅行箱，卻驚慌的發現輸送帶上很多旅行箱都是藍色。他的旅行箱破爛不堪，而且被燻得烏漆抹黑，因為是從大賣場後面燒焦的殘骸裡拖出來的。他緊盯著覆蓋一條條塑膠簾幕的正方形洞口，看著一箱接一箱行李掉落到輸送帶上，看得入迷。

「你聽到了嗎？」一個女人對她丈夫說，「那個箱子發出怪聲！」

亨弗利看到女人指著的正是他的旅行箱。他把其他人推到一旁，擠到輸送帶前，抓住提把，將旅行箱拉到地板上。

「哎喲！」箱子粗聲抗議，「小心點！」

「在那裡！」女人抓住她丈夫的胳膊，「又發出怪聲了。」

「你可不可以閉嘴！」亨弗利對箱子生氣的低聲說，「人家會聽到你的聲音。」他匆匆忙忙拖著箱子走開，遠離盯著他看的人群。

「你儘量別把我撞來撞去！」皮克林的聲音氣呼呼的小聲回應，「很痛耶！」

亨弗利不理睬箱子，繼續拖著它走向寫著「無需申報」的標示牌。他兩眼緊盯著出口標誌，邁著重重的步伐，在白色的走廊上往前衝。

「先生，不好意思，」一位身穿整潔制服的美國海關人員走到他前面，舉起一隻手。「我們想檢查一下你的行李，問幾個有關你來美國的問題。」

「嗯，當然可以。我是來這裡度假的。」亨弗利東張西望。另外有兩名官員站在離走廊不遠的一間房間的門口兩側。「我的行李裡面全都是衣服。」

「請往這邊走。」海關人員帶他走向那個房間。

「喔，好。」汗珠順著亨弗利的額頭滾下，流進他的眼睛裡。他眨了眨眼，努力擠出迷人的笑容。「長官，有什麼問題嗎？」

「完全沒問題，先生，只是例行程序。」海關人員向他保證。

亨弗利從旅行箱旁邊退開兩步。

「先生，請把行李拿過來。」

亨弗利點一下頭，將旅行箱拖進房間，裡頭只有一張桌子和椅子。

「麻煩你把旅行箱放到桌子上，打開來給我們看。」海關人員指示。

亨弗利看另外兩名官員一眼，一男一女，身材不是非常高大。他抬起箱子，砰一聲重重放到桌上，同時大聲咳嗽以掩飾皮克林可能發出的聲響。

「你可以拉開箱子的拉鍊，然後走到那邊面對牆壁嗎？」

亨弗利注意到三名官員腰帶的皮套裡都有手槍。他彎下身體，慢慢拉開箱蓋的拉鍊，然後離開桌邊面對牆壁。

一名官員伸手按住他的肩膀。「把兩腿張開。」

就在亨弗利按照吩咐去做的時候，響起一聲巨大的撕裂聲，他的長褲裂開了。他回過頭去看，那名女官員正好掀開旅行箱的蓋子。

「哈囉，長官好！」皮克林尖聲嚷著跳起來，兩個拳頭裡各拿了一罐胡椒噴霧劑，朝他們臉上發射。

海關人員發出哀號，腳步踉蹌後退。看守亨弗利的官員轉身，並伸手去掏槍。亨弗利揮拳猛打官員的頭，將他打暈。

「**快跑！快跑！快跑！**」皮克林尖聲叫喊，臉朝下從桌子摔到地板上。

亨弗利抓住他表哥的胳肢窩，將他扛到肩膀上，飛快奔向門口。他快速衝過海關門廳到機場裡，皮克林則拿著兩罐胡椒噴霧劑對準任何盯著他們看的人。「他們來了！」他尖聲對亨弗利說，兩人身後起了一陣騷動。

亨弗利褲子上的裂縫讓他可以自由奔跑，他咚咚咚跑過入境大廳，闖入計程車招呼站的隊伍中。一對老夫婦正將行李箱遞給計程車司機，司機把箱子抬進後車廂裡。亨弗利推開老先生，把他撞倒，然後跑向駕駛側的車門。門開著，鑰匙插在點火器裡，引擎仍在運轉。他把皮克林扔到副駕駛座上，皮克林的頭撞到置物箱，大叫了一聲。

亨弗利跳進駕駛座，使勁把門關上。

計程車司機奔向他，大聲叫亨弗利滾下他的車。

亨弗利的拳頭猛然伸出敞開的車窗，揍得計程車司機兩眼發黑。他把排檔桿打到前進檔，一腳用力踩在油門上，往前衝進離開機場的車流中。他透過後照鏡發現後車廂仍開著，於是加速跨越減速丘，後車廂砰一聲關上了。然後，他看見警察和機場人員全都湧到老夫婦和不省人事的計程車司機四周。

皮克林把身體坐正，望出窗外揮了揮手。「拜拜！」

「我們得儘快丟掉這輛車，再找些新的衣服，」亨弗利說，「我們必須到人多的地方，這樣才能躲起來。」

「嘿！」皮克林拍起手來，「我們成功了！我們到美國了！」

「閉嘴，把地圖拿出來。」亨弗利能聽見遠處警笛的呼嘯聲，「我大老遠跑來，可不是為了被關回監獄裡。」

他們帶了一份洛杉磯地圖。打著紅色大X的是電影獎的頒獎會場——好萊塢劇院。頒獎典禮是在明天，因此他們需要先找個地方過夜，早上再去等待盧克莉霞・卡特。

「在棄車之前，我們必須盡可能接近好萊塢劇院。」

「那你最好開快點，矮胖子！」皮克林用刺耳的聲音大笑，「因為他們來抓我們了！」

27 愛因斯坦的工作坊

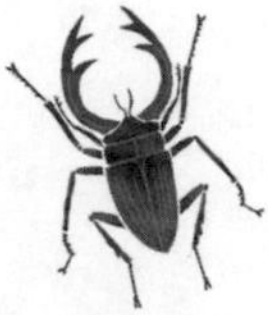

由於諾娃允諾把他們弄進好萊塢劇院，讓達克斯、薇吉妮亞和柏托特大受鼓舞，他們在頒獎典禮前夕跟麥西伯伯和莫蒂一起翻遍了她的車庫，找尋任何可能幫助他們對抗盧克莉霞・卡特的物品。地板上到處都是裝滿各種雜物的箱子與袋子，全是莫蒂最初出租房子的時候，從屋內清出來的東西。

「這是什麼？」柏托特從其中一個盒子裡拿出一根透明塑膠圓筒，圓筒上有兩根突出的管子。

「那是吸蟲管。」麥西伯伯回答，看向達克斯。「你爸爸有一個手提箱裝滿了不同大小的吸蟲管。」

「這東西是做什麼用的？」

「蒐集蟲子。」麥西伯伯指著其中一根管子，「你吸這根管子，這裡就會形成真空。」他將手指移到圓筒上。「然後你用另一根管子對著你想撿的蟲子，管子就會把蟲子吸上來，抓到圓筒裡。這邊這一小塊網子能避免你把蟲子吞下去。」他微微一笑。

「然後你旋開上蓋就可以取出樣本了。」

「好酷喔！」柏托特盯著吸蟲管，眼睛飛快的眨了眨。

「你為什麼會有吸蟲管呢？」達克斯問莫蒂。

「是一位名叫史密瑟斯的男士給我的，他是位昆蟲學家，來博物館參加過會議。」莫蒂邊說邊取出一個大箱子裡的東西，「我對他招認我不喜歡蜘蛛。」

「你怕蜘蛛？」薇吉妮亞不敢相信的說。

莫蒂點點頭。「所以他給我吸蟲管，讓我可以採集以後拿到外面去，不過這東西好麻煩。用一個玻璃杯和一小塊硬紙板還容易點。」

「可以給我嗎？」柏托特問。

「可以。」她點一下頭，「反正我永遠不會拿來用。」

「謝謝。」柏托特將吸蟲管抱到胸前。

「你打算拿來做什麼？」達克斯問。

「拆開來。」他回答。

「我們需要武裝起來，」薇吉妮亞說著拿起一座燈臺，像斧頭一樣揮舞。「我們不能手無寸鐵的跟盧克莉霞．卡特對抗。」

「不過要是我們帶了一堆武器，他們絕對不會讓我們進去。」達克斯指出事實。

「所以，明天的計畫是，我們到好萊塢劇院等赫本，牠會傳訊息告訴我們如何進去，可是等我們進去後，你要**我們**做什麼呢？」麥西伯伯比手勢指指自己和莫蒂席拉。

達克斯思考了一會兒。「我們最好的武器就是基地營甲蟲，我們要利用牠們來對付盧克莉霞．卡特和她帶著的甲蟲。」他看看麥西伯伯，再看向莫蒂席拉。「不過她有保鏢，至少四個：柯雷文、丹奇許、毛陵和玲玲。」

「把他們交給我們吧，」莫蒂說，「人類就由我們負責。」

「我們需要想辦法偷渡甲蟲進劇院。」達克斯說。

「我一直在想這個問題，」柏托特回應，「我們需要找個不會引人注目的東西。我們大家走到哪裡都會帶著的東西是什麼？」

「泡泡糖？」薇吉妮亞提議，同時放下燈臺。

「背包。」柏托特指著他自己的背包說。

「你要我們把甲蟲放進背包裡？」達克斯問。

「不是，我要把我們的背包改造成機器。」柏托特露出微笑。

「什麼樣的機器？」薇吉妮亞問，突然有了興趣。

「捕蟲機。」柏托特舉起吸蟲管說，「我想要做巨型吸蟲管。」

「喔。」薇吉妮亞戳一下達克斯，「愛因斯坦的眼中出現那種神情了。」

「我會需要三個空的塑膠噴水瓶，三個靠電池供電的抽氣機，還有三根旋音管。」他看著麥西伯伯說。

「旋音管？」薇吉妮亞挑起眉毛。

「對。」柏托特肯定的點一下頭，「或是吸塵器用軟管、抽氣管，類似的管子都可以。還有絕緣膠帶，很多很多的絕緣膠帶。」

「好，」麥西伯伯說，將車鑰匙繞在指頭上旋轉。「我馬上回來。」

「我也要去。」薇吉妮亞跟著他走出車庫，「我喜歡美國的商店。」

「還要買三條萬用腰帶。」柏托特在他們後面大聲說。

「收到。」薇吉妮亞行個軍禮。

「我媽去哪裡了？」柏托特看著達克斯說。

「哼！」莫蒂把頭往後仰，顯露出三層下巴和不贊同的表情。「她在樓上試穿新禮服。」她挑起眉毛。「那衣服顯然像星塵一樣閃閃發光。」

「喔！」柏托特的臉紅了。

「我要去準備晚餐了。」莫蒂說完，穿過通向屋內的門。「這裡有什麼派得上用場的就自己拿吧，需要我的話就叫我一聲。」

「我媽跟我們來，其實只是想去參加電影獎對吧？」柏托特說完嘴巴一撇。

達克斯在他旁邊坐下來。「她要是沒來，你跟薇吉妮亞就還在倫敦，我就只能靠自己了。」

「我想也是。」柏托特點了點頭。

「起碼我們知道你媽為什麼來這裡。」達克斯把下巴靠在膝蓋上，「我一點也不知道我爸想幹麼。我認為他是想要阻止盧克莉霞．卡特，可是萬一我錯了呢？」

「什麼意思？」

「你聽到諾娃說的了。萬一我爸真的是在為她工作呢？萬一他是站在她那一邊的怎麼辦？」

「達克斯，你爸爸絕對不會支持一個放火燒死成千上萬隻無辜甲蟲的人。你自己告訴過我他不贊成殺生，無論是多麼渺小的生命。」

「這倒是真的。」達克斯說。

「我想你必須相信他。」柏托特眨了眨眼。

「我真希望在明天以前能夠跟他談一談。」達克斯嘆口氣。

柏托特輕輕拍一下他的背。「我們只能為自己的信念奮鬥。」

達克斯點點頭，對他朋友露出笑容。「那麼，來吧，我們要怎麼做巨型吸蟲管？」

28 埃及豔后的女兒

有人敲門。是傑拉德。

「小姐，起床了。」

諾娃的睫毛顫了顫，張開眼睛。

「早上了。」他過來站在她的床邊，「該梳妝打扮了。我給您送早餐來了。」

「梳妝打扮？」

「對。您不會忘了吧？今天是電影獎頒獎的日子。」傑拉德拉開窗簾，讓洛杉磯的陽光湧入室內。「時間還早，不過有很多事要做。吃完早餐後，您要做臉，然後您的腳會解脫束縛。足科醫師已經來了。美髮師和化妝師十一點會到。在吃簡單的午餐前先上粉底霜，其餘的等午餐後完成，不過，首先您母親要您過去試穿禮服。」

「嗯。」

「您在聽嗎？」

「我醒了，」諾娃呻吟著說，「再給我五分鐘。」

傑拉德鞠個躬後，悄悄離開房間。

諾娃眨了眨眼等待，確定他不再回來，接著伸手到床邊的花瓶裡，從白色海芋的鐘形花萼深處將赫本拿出來。

「就是今天了，赫本。」她在床上坐起來，內心雀躍不已。他們昨晚大部分時間都在學摩斯密碼，並且複習整個計畫。知道達克斯還活著，讓諾娃勇氣倍增。她想到了如何把達克斯和他的朋友弄進好萊塢劇院的點子。還有，這次她會請達克斯帶她一起走，回去英國，離瑪泰遠遠的。

「今天是個大日子。」她把赫本抱到胸前。

傑拉德持續敲門。

「來了！」諾娃大聲喊著，將赫本放回海芋上，再胡亂穿上拖鞋。她蹦蹦跳跳的跟在傑拉德後面，走進屋內平常禁止入內的區域。他在門鎖上輸入密碼，再繼續走到走廊盡頭停下，舉起戴白手套的手指，用食指的指節輕輕敲門。

「進來。」盧克莉霞．卡特的聲音大聲說。

傑拉德打開門，帶領諾娃進去。

「我帶諾娃小姐來試穿禮服。」

諾娃走進門。就算她被從其他地方瞬間傳送到這間房裡，她也知道這是瑪泰的臥室。整間房間昏暗，清一色黑色的家具鑲著金邊；地板是黑色大理石，床尾擺了張厚厚的黑熊皮地毯，一座黑金雙色的絢麗日本屏風豎立在房間另一頭。

瑪泰的聲音從屏風後面傳來。「她的禮服在橫桿上。」

衣櫥橫桿上只有一件吊在金色衣架上的黑色禮服，那是一件看起來又薄又脆弱的及地禮服，以成千上萬極小片的鋸齒狀羽毛做成，非常美麗。

「我想我應該穿我最愛的粉紅色禮服去參加頒獎典禮，」諾娃勇敢的說，「我特地帶來了。」

盧克莉霞．卡特的頭突然從屏風上面探出來。即使在這陰暗的房間裡，她仍戴著墨鏡。

「不，」那對金色嘴唇露出牙齒咆哮，「你要穿上我為你製作的禮服。我僱用了一百個印度孩子，以手工縫製上面鑲嵌寶石的每個底座，他們期望看到自己的手工作品出現在紅地毯上。你不會想要剝奪他們期待的那一刻吧，會嗎？」

「不。只是……」

「三位被提名的女演員都會穿著我為她們製作的禮服。」

「是的，瑪泰。」

「想看看我穿什麼嗎？」瑪泰的聲音聽起來興致勃勃。

「嗯，想，」諾娃咕噥著說，「可以看就太好了。」

盧克莉霞．卡特從屏風後面趾高氣揚的走出來。

諾娃皺起眉頭。瑪泰的禮服看起來很怪異。這件高領、及地的晚禮服，腰部束緊、臀部誇大，看來似乎是用氣泡布做成，只不過應該充氣鼓起的氣泡卻往內凹，形成一個個硬糖大小的凹洞。傑拉德將一面全身鏡往前挪，方便她端詳自己。

「嗯。」盧克莉霞．卡特對著鏡子點了點頭，「非常完美。」

「喔！好漂亮，」諾娃說，心裡感到困惑。「真的很美。」

「這是襯衣，你這個笨孩子。」盧克莉霞．卡特厲聲說。

諾娃回頭看。橫桿上除了她的衣服以外，沒有別件禮服。

這時門開了，毛陵推著一座附有滾輪的高櫃進來。

「放在那裡。」瑪泰指向前面的地板，「放好後出去。」

毛陵按照指示做完離開。傑拉德走向前，打開高櫃的門，裡頭有一整排放昆蟲標本的抽屜。傑拉德拉出第一個抽屜，裡面裝滿了球形的金龜子。

盧克莉霞．卡特從喉嚨後面發出令人不安的喀噠聲。

抽屜裡的金龜子動了起來，諾娃感覺兩條手臂冒起了雞皮疙瘩。沒有一隻甲蟲被用針固定住。在怪聲的呼喚之下，所有甲蟲一一張開翅鞘升空，飛到盧克莉霞．卡特襯衣上的凹洞裡。傑拉德拉出一個又一個的抽屜，數百隻活生生的金龜子飛向盧克莉霞．卡特，用翅鞘驚人的濃豔金色填滿禮服上從地板到頸部的所有凹洞。不出幾秒鐘，瑪泰就穿著美麗的金色禮服站在她面前，看上去比電影獎的雕像還要閃亮。

盧克莉霞．卡特緩緩轉身，好讓諾娃看見她的背。在她背部原本是肩胛骨的位置，出現了一對金色的翅鞘。諾娃驚恐的看著那對翅鞘張開舉起，從巨大的金色翅鞘下面展開了一雙黑色翅膀。她倒吸了一口氣。

「傑拉德，我想我們應該試試王冠。」

管家走到梳妝臺前，拿出一把鑰匙，打開一個深型抽屜，拿出沉甸甸的黃金環形頭飾。在頭飾中央是隻金龜子，牠的外骨骼上標有象形文字。

「這頂王冠曾經屬於埃及豔后。」盧克莉霞．卡特說著從傑拉德手中接過環形頭飾，「我改良過了。埃及豔后喜歡蝮蛇；這裡本來有條蛇。」她指出位置。「我用看守娜芙蒂蒂王后石棺的金龜子來取代蝮蛇。」

「好美喔。」諾娃低聲說。

「你曉得埃及人崇拜甲蟲嗎？他們相信太陽神是糞金龜，把太陽滾過天空。」她將環形頭飾舉到頭上戴好，「現在全世界將會崇拜我。」

「崇拜你？」諾娃的喉嚨乾澀。

盧克莉霞．卡特轉身面向她，諾娃幾乎無法呼吸。

盧克莉霞．卡特高大得難以想像，穿了一身金，額頭上戴著金龜子王冠，黑色翅膀大大張開，宛如可憎的天使。她摘掉墨鏡，黑色眼睛眨也不眨，讓人不敢對視。「對。崇拜我。」

諾娃低頭看著地板。她怕得渾身發抖。瑪泰打算在頒獎典禮上向全世界宣告自己是神嗎？

「好了，穿上你的禮服吧。」盧克莉霞．卡特下令。

諾娃走到橫桿邊，發現傑拉德在她旁邊，幫她脫下睡衣，穿上黑色禮服。「Sois courageuse（勇敢一點）。」他悄聲說。

「我們會把你的眼瞼塗黑，嘴唇塗成金色，」盧克莉霞．卡特說，傑拉德拿出第二個較小的環形頭飾，中央是隻小的心形金龜子。「你將會是個完美的配飾。」

傑拉德把金王冠戴到她頭上，諾娃看向鏡子，被自己看到的畫面嚇壞了──她原本以為是羽毛的黑色流蘇，竟然是巨大放屁步行蟲搖晃的腿、大顎和觸鬚。

盧克莉霞．卡特走過來站在她旁邊。

諾娃覺得自己快要哭了。瑪泰靠得這麼近，還有那雙黑色深邃的複眼，都讓她非常害怕。

「看看這個。」盧克莉霞．卡特對著鏡子說。她像蛇那樣奇怪的左右晃動頭部，用喉嚨後面發出喀噠聲，諾娃感覺身上的禮服在顫抖。原來那些黑色的甲蟲腿是附

在活的昆蟲身上，現在正動來動去。牠們轉動腿部，跳著奇怪的舞蹈，讓禮服活躍起來，不斷的飄動，彷彿諾娃是在水中或是無重力的太空，產生一種催眠的效果。

「美極了！」盧克莉霞·卡特自言自語，俯視著她的女兒。「是讓世人看見你真面目的時候了，諾娃。」

29 垃圾桶旅館

亨弗利用頭頂起垃圾桶蓋。他把小巷子上下查看了一番，周遭一個人也沒有。「安全了。」他對表哥咆哮著說，他表哥老鼠般的臉出現在他的手肘邊，偷偷張望四周。

他們將偷來的計程車丟棄在幾條街之外，然後在警察追上的前一刻火速逃離車子。在一家中國餐館隔壁的小巷子裡有一排垃圾桶，他們跳了進去，等警察走了再出來。

亨弗利對垃圾桶裡找到的大量食物感到又驚又喜。東翻西找之下，他發現了春捲、一盤吃了一半的香辣麵和半隻脆皮鴨。他最愛吃中國菜了。他狼吞虎嚥的把所有食物全吃下肚。

皮克林則是指出，把裝滿垃圾的黑垃圾袋拿來當床鋪相當柔軟。既然在找到盧克莉霞．卡特之前他們沒有錢，兩人儘量把垃圾袋整理得舒適一些，搶救所有可以吃的東西，盡情享受剩菜，然後才入睡。

他們查了一下地圖。他們離好萊塢劇院只有一個街區。

亨弗利手腳並用的爬出垃圾桶，拍掉身上的灰塵。

「皮克林，把箱子給我。」

在逃跑前，亨弗利靈機一動，把計程車後車廂裡的旅行箱搶來。他知道他們不能穿著沾了垃圾惡臭的回收破衣在頒獎典禮上露面，盧克莉霞・卡特絕對不會跟他們說話。他希望旅行箱裡有可以替換的乾淨衣服。

皮克林將旅行箱推出垃圾桶，箱子掉到地上爆開來。亨弗利彎下腰四處翻找，沒有什麼符合他體型的衣服，不過有一套黑色晚宴服。他拿出長褲，掛在太平梯最下面一階。他穿上白襯衫，只扣得上一顆鈕釦，袖口垂在肥胖的手腕處。沒有任何袖口鍊長到足以扣緊袖口。西裝外套則太緊，把他的兩條手臂往後拉，不過他勉強穿上，沒有撕破。這套晚宴服的主人個子矮，但腰圍寬，所以在穿長褲時，雖然褲長只到小腿，但亨弗利深吸一口氣後勉強扣得起來。儘管肚皮、腳踝、手腕裸露在外，他仍然對自己的進展點了點頭。

「我看起來怎麼樣？」

「像無敵浩克令人噁心的表兄弟。」皮克林吐了口口水，他掙扎著想要撐起蓋子、同時爬出垃圾桶。

亨弗利輕蔑的哼了一聲，扶住打開的垃圾桶蓋。皮克林摔到地上。「你得穿上這個！」

「什麼！」皮克林跳了起來，「我才不穿那個，看起來很可笑。」

「不過只剩下這個了。」亨弗利咧嘴笑。

「肯定還有別的。」皮克林翻出女用內褲、泳衣、毛巾和盥洗用品，「為什麼不能給我穿那套晚宴服？」

「因為這是我唯一塞得進去的衣服。」亨弗利大笑著說。

「好吧。」皮克林從他手中搶過衣服，「轉過去，我換衣服。」

雖然他們日出就起床，而且只需要走過一個街區，皮克林和亨弗利卻發現還有很多其他人徹夜沒睡，或是睡在人行道上，就為了在好萊塢劇院外面占個好位置觀賞頒獎典禮。大批群眾聚集在紅地毯旁的警戒線後面，等著看——或者甚至見到——他們崇拜的電影明星，好好欣賞華麗的禮服與考究的西裝。劇院入口圍繞著攝影機和拿著長鏡頭的攝影師，有些站著，有些坐在凳子或梯子上。

亨弗利連推帶擠，想要硬擠進人群中，卻發現美國人跟英國人不同，他們不甘願被推來推去，直接把他反推回去。很多人盯著皮克林看，他撩起身上穿的粉紅印花洋裝的裙子，因為裙襬一直纏住他的腳踝。他一手按在頭上，抓住鬆軟的草帽，由於裙子拉得過高，露出毛茸茸的膝蓋。

「你入圍了哪一項？」有人大聲說，「穿裙子最醜的男人？」

群眾爆出哄堂大笑。

等到第一批車輛開始到達時，亨弗利和皮克林被卡在人群中間，完全無法前進、也捨不得回頭。每次一有加長型黑色禮車停在紅地毯盡頭，亨弗利就伸長脖子查看下車的是不是盧克莉霞·卡特。皮克林陶醉在周遭的氣氛中，興奮得語無倫次，亨弗利把身體側向一邊，希望跟骨瘦如柴的表哥撇清關係。皮克林只好自言自語，偶爾咯咯發笑，對著早到的人揮舞手帕，好像淑女的手絹似的。

一個個衣冠楚楚、輪廓分明、體格像種馬的男人，身穿剪裁俐落的西裝，從他們旁邊經過，一面大搖大擺的往前走，一面向小姐們獻飛吻，這對表兄弟看得都呆住了。他們從來沒見過這麼多美男子。「他們的牙齒，」皮克林喘著氣，使勁抓著亨弗利的手臂。「好整齊！好白！」

看到那些女人，令亨弗利感到害羞，她們實在太漂亮了。她們面帶微笑翩翩飄過，閃耀著光芒，宛如天仙般優雅而美麗。

忽然間，群眾倒吸口氣湧上前去。亨弗利跟皮克林兩人拚命拉長身子想知道大家在看什麼。

「是**白雪公主**！」一個興奮的女人尖聲說，群眾附和她的話。

「白雪公主！白雪公主！白雪公主！」

一名嬌小美麗的女子，淡金色的頭髮捲成漩渦狀，緊貼在性感撩人的臉蛋四周，嘴脣塗成櫻桃紅色，有如丘比特之吻，她接受了一位與她相稱的紳士所伸出的手，從黑色豪華轎車走出來。

「露比！露比！看這裡！」攝影師大喊。

「對我們笑一下吧，露比！」

鎂光燈砰一聲亮起，燈光從小露比·希梭羅的禮服上反射，群眾驚訝得倒抽了一口氣。她是如此的耀眼，亨弗利幾乎不能直視她，卻又無法挪開視線。他只能把焦點放在她深紅色的完美嘴脣上。她就像是一面行走的稜鏡，散發出皎潔的光芒。

群眾顯得敬畏，彷彿天使從天而降。

片刻後她走了，進入好萊塢劇院，世界再次變得灰暗。亨弗利非常渴望她再回來。其他的女演員出場，但是大家不怎麼關注她們。小露比·希梭羅令人目眩神迷的影像深深烙印在他們的眼球上，所有人只談論她。

亨弗利漸漸感到不耐煩。他不喜歡困在人群中，而且他肚子餓了。

「她在哪裡？你確定她會來嗎？」他嘟囔著說。

「會的，會的。所有的報紙都寫了。她從來沒出席過頒獎典禮，這將是史上頭一遭。」皮克林拚命點頭，「她會來的，我曉得。我**感覺**得到。」

亨弗利翻了翻白眼。

另一輛豪華轎車抵達。

「是她！」有人大喊，人群又蜂湧向前。

「誰？」亨弗利問周遭的人，「誰來了？」

「是史黛拉．曼寧，」一個女人回答，她激動到根本沒有回頭看自己說話的對象。「她是有史以來最棒的女演員。」她興奮的尖叫，雙手緊抱著胸。「她就像變色龍一樣，是奇蹟般的奇才。我愛死她了。」

亨弗利失望的呼出一口氣。不是盧克莉霞．卡特，不過看看史上最棒的女演員也無妨。

一件森林綠的裙子從車門流瀉出來，接著一位高貴美麗的女人站了起來，濃密、及腰的紅色捲髮披在肩上，額頭上戴著一頂拋光黃金製成的環形頭飾。

「是**馬克白夫人！**」一個年輕人倒抽了一口氣，兩手摀住臉頰。「我、的、天、啊！真是美極了！」他假裝快要昏倒的樣子。

「我以為你說是史黛拉．曼寧。」亨弗利對剛才那個女人說，她現在正拚命遞出簽名簿和筆。

「是她沒錯。那件禮服叫『馬克白夫人』，是盧克莉霞．卡特設計的。」

「盧克莉霞．卡特？在哪裡？」

「那件禮服是她設計的啦。」

亨弗利皺了皺眉。為什麼有人會給禮服取名字？他看著史黛拉．曼寧宛如女王一般，沿著紅地毯朝他的方向走來。那件禮服十分令人著迷，底層是精心量身訂做、透明裸色的衣服，展現出史黛拉．曼寧的曲線與輪廓，同時賦予她高地氏族女性首領的儀態。森林綠的蕾絲外層垂至地板，上面妝點著漂亮的翠綠貝殼，那些貝殼隨著她的走動變換色彩，讓這件禮服帶點華貴的深紫色。亨弗利得承認盧克莉霞．卡特製作禮服確實頗有一套。

鎂光燈一陣閃爍，史黛拉．曼寧停下腳步和一位拿著麥克風的女士交談。

「她在哪裡？」皮克林不斷的跳上跳下，好像吃了太多糖果的小孩。這時候車來了，就是亨弗利初次在尼爾遜街公寓外面看到的那輛，比任何一輛豪華轎車都要來得氣派，永不過時的經典外型藏著強而有力的引擎。他上一次見到盧克莉霞．卡特時，她的司機將她塞進那輛車後開走。他好奇她是如何把車運來美國——也許她有一整個車隊的同款車。

司機繞過色彩斑斕的車，到後車門去開門。亨弗利向前探出身子，滿懷期待的舔著嘴脣。接著一隻小巧玲瓏的黑爪子出現了，踏到紅地毯上，爪上有鉤狀的指甲。鎂光燈砰的發亮，一個嬌小的女孩下了車。那隻帶爪的腳是她的。她穿了一身黑，頭髮塑型成白色的齊耳短髮，雙眼塗成一條黑線，嘴脣閃著金光，不過讓亨弗利目不轉睛盯著的，是那雙怪異的鞋子——看起來實在太像黑爪子了，他不明白腳怎麼穿得進去。不過這時一雙更大更邪惡的爪子踩上了紅地毯。盧克莉霞．卡特正走下車，由一位身穿深藍綠西裝的英俊男士攙扶著。

群眾深吸口氣，接著自然而然的爆出掌聲。

盧克莉霞．卡特從頭到腳穿了一身金。她挺起身子站起來，高得不可思議，遠遠高過那位挽著她手臂的男士。她沒有穿戴著手杖和實驗袍，不過招牌的墨鏡與黑色短髮依舊，頭上戴著一頂沉重的金王冠。當她直視前方，腳步輕盈的順著紅地毯前進，女兒走在她身旁，群眾突然恭敬的安靜下來。

「嘿！」在一片寂靜當中，皮克林扯破喉嚨尖聲嚷著。「盧克莉霞，親愛的，是我，皮克林！」

「還有我！」亨弗利大聲吼，「在這邊！」

「盧克莉霞！」皮克林大喊，「我的寶貝，我愛你！」

有一剎那，亨弗利覺得他看到盧克莉霞．卡特生氣了，不過她繼續向前走，完全沒朝他們的方向看。

「喂！」亨弗利人聲咆哮，「我們要拿我們的錢！」可是這時所有的攝影師也都在大喊。「**把我們的錢還來！你燒掉了我們的房子！**」可是他無法讓別人聽到他的聲音。

盧克莉霞．卡特沒有停下來簽名或接受採訪。

「她沒聽到我們的聲音嗎？」皮克林一臉愁苦的問，「她至少可以轉頭向我拋個飛吻啊。」

「去他的。」亨弗利轉身背對紅地毯，「我不想再等下去了。我們進去裡面拿我們的錢吧。」

「可是要怎麼做？」皮克林嘀咕著說，無精打采的跟在亨弗利後面。

「這地方是劇院，」他們走向角落時，亨弗利說。「一定有其他的門。」

他們順著通往劇院後門的巷子看過去，巷子兩旁盡是身穿黑西裝的保全人員。一個男人推著一輛堆滿金色籠子的手推車，籠子裡裝了許多五顏六色、呱呱亂叫的鳥兒，正穿過劇院後門。

「我們絕對沒辦法從那裡進去。」皮克林說。

「那我們就找別的方法進去。」亨弗利回答，並抬頭往上看。

30 劇院後門

進入劇院時，諾娃欣喜的倒抽一口氣。好萊塢劇院內部是座豪華宮殿，由紅色天鵝絨、水晶枝形吊燈和閃閃發亮的金邊構成。她站在世界上最著名的劇院裡，感到湧起一股決心，從這棟建築物汲取了力量。拿出畢生最佳演技的時候到了。

她交叉兩腿，開始在原地跳來跳去。

「我想上洗手間。」

瑪泰不理會她，因此她用哀求的眼神看著巴索勒繆．卡托。「拜託。我真的很想上。」她把臉皺成一團。

「大概是因為太興奮了，」達克斯的爸爸對瑪泰說，「你應該讓她現在去，趁典禮還沒開始之前。」

「頒獎典禮開始時，你最好坐在你的座位上。入圍的女演員全都坐在前排。」瑪泰厲聲說，走向前去接受史黛拉．曼寧的飛吻，史黛拉．曼寧為她的禮服誇張的表達感激。

諾娃低著頭跑回門廳，拚命找尋可能幫她的人。

「不好意思，先生。」

一名上了年紀的領位人員低頭看，露出親切的笑容。

「卡特小姐，我能幫你什麼忙呢？」

「你知道我的名字！」諾娃搧了搧眼睫毛，假裝既高興又害羞。

「哎呀，大家都曉得你的大名啊，小姐。你入圍了呢。」

「對啊！我簡直不敢相信，我的夢想成真了。」她緊握雙手，仰頭對他微微一笑。「只是，呃，我在想你可不可以幫我一個忙？」

「我會盡我所能。」他彎下腰來，好讓自己與她齊高。「我能為你拿什麼嗎？也許來點冰淇淋？」

「不用了，先生。你聽我說，事情是這樣的，我為洛杉磯的孤兒做慈善工作，嗯，你要知道這些孤兒，他們很可憐。他們永遠沒辦法參加頒獎典禮，甚至也沒辦法看電視轉播，實在是非常可憐。」

「哎呀，你真是善良。」

「嗯，只是我答應了其中一些孤兒，最可憐的那幾個，他們可以從舞臺側面觀賞頒獎典禮。我曉得我不應該那麼做，可是當我告訴他們我入圍的時候，他們好興奮，所以……」她咬著嘴唇凝視地板好一會兒，然後用天真、難過的眼神注視著老人，「我不忍心讓他們失望。他們認識的每個人，包括他們的爸媽，都讓他們失望了。他們甚至沒什麼巧克力可吃。」

「天啊。」領位人員搔一搔頭，「我得說，這裡的安全措施恐怕比選舉日的白宮還要嚴密呢。」

「我明白。」諾娃眨眨眼，擠出一些眼淚。「我太笨了。直到我來到這裡看見所有的安全措施，才了解這件事根本不可能。」她抽了抽鼻子。「他們來這裡都是因為我叫他們來的，現在我不知道該怎麼辦才好。」她的嘴唇顫抖，一滴眼淚順著臉龐流下。

「喔，好了，別哭，別毀了你的妝。」

「我不在乎我的妝，」諾娃啜泣著說，「我甚至不在乎這些獎，我只想要給那些可憐的孩子一個很棒的回憶，讓他們終生難忘，但是現在他們只會記得被穿西裝的可怕男人趕走，還有我是個多麼差勁的人！」

「好了，好了。」年老的領位人員從背心口袋掏出手帕，「把眼淚擦乾。你何不跟我來，我們來看看能不能跟我姪子商量一下。」

諾娃抽抽噎噎的。「你姪子？」

「他在劇院後門執行保安工作。」領位人員使了個眼色。

諾娃跟著他走向一扇隱藏在簾幕後面的門，看著他輸入密碼。他們走過空蕩蕩的更衣室，再穿過另一道門，走到走廊盡頭，來到大廳。那裡有張接待櫃臺，櫃臺後面坐著一個女人，正用撲克牌在玩接龍。

「哈囉，南西，這位是諾娃．卡特。」

諾娃露出甜美的笑容揮揮手。「嗨。」

「丹尼爾在嗎？」

南西沒有抬起頭來，眼睛仍盯著撲克牌遊戲。「他在外面。」

「卡特小姐會給你一些洛杉磯孤兒院的孤兒名字。」他對她眨了下眼睛，「那是今天進行的慈善活動的一部分。他們獲准進來從側臺觀賞頒獎典禮。丹尼爾會負責處理。」

南西把筆丟到一本攤開的簿子上，然後注意力又轉回到撲克牌上。「把他們的名字寫在這兒。」

諾娃張大眼睛，仰頭看向領位人員。「真的嗎？」

「我只要通知我姪子，讓他護送他們到舞臺側面去就好了。」親切的領位人員回答，眼睛閃爍著光芒。

「真是太感謝你了，」諾娃用誇張的語氣說，「有三個小孩，一個女孩跟兩個男孩，還有三位看顧他們的人。」

「好，我會告訴丹尼爾。把他們的名字寫在這本簿子上。南西會處理的。」

諾娃點點頭拿起筆來，感到一陣興奮，寫下達克斯、柏托特和薇吉妮亞的名字，不過接著她停頓下來。她只知道麥西米廉．卡托的名字，卻不知道另外兩位的名字，因此她寫下麥西、巴克斯特與赫本。

那位親切的領位人員五分鐘後帶著丹尼爾回來。他看起來跟所有的保全人員一樣：穿黑西裝、白襯衫，打著黑領帶，戴著墨鏡。

「丹尼爾會在角落等那些孤兒。」

「好的，可是他們怎麼知道要找誰？」諾娃打開手提包翻找，拿出一條細的粉紅髮帶。「丹尼爾，麻煩你跪下來好嗎？」她客氣的詢問，對警衛拋了個媚眼。

丹尼爾哈哈大笑，單膝跪下，摘掉墨鏡。諾娃看見丹尼爾和他伯伯一樣，有雙和善的眼睛。她將那條粉紅細緞帶纏繞在他西裝外套最上面的鈕釦上，再打個蝴蝶結。

「丹尼爾，你是在做一件很棒的事，」諾娃說，「我由衷的感謝你。」

「這是我的榮幸，卡特小姐。」丹尼爾點點頭後站了起來。

「有了粉紅緞帶，達克斯會知道是你。」她說，感到一陣寬慰和自豪。

「你現在不必擔心了，」丹尼爾說，「我會照顧那些孩子的。」

「謝謝。還有謝謝你，先生。」諾娃轉向親切的領位人員，張開雙臂抱住他。「謝謝你，謝謝，太謝謝你了。」

「好了，好了，卡特小姐，不需要這樣。」他帶著笑容從她的擁抱中脫身，「我們必須在典禮開始之前讓你回到座位才行。」

「可以請你先告訴我洗手間在哪裡嗎？」諾娃盡力裝出尷尬的表情，「我真的很需要去一下洗手間。」

「當然可以，請跟我來。」

諾娃向丹尼爾揮揮手，她的粉紅緞帶繫在他最上面的鈕釦上。親切的領位人員帶她到前面的劇院去，指出洗手間的位置。諾娃向他道謝後，衝到廁所裡面鎖上門。她打開手提包取出一個小錢包，拉開拉鍊把赫本拿出來。

「你還好嗎？」她低聲問。

赫本小小的點了一下頭。

「好。訊息是這樣的：**到劇院後門。找粉紅緞帶。三個小孩。三個大人叫麥西、巴克斯特、赫本。**」

赫本的翅鞘冒出來，像閃現的彩虹，牠飛快的動了動翅鞘，打出一長串的摩斯密碼，重複一遍訊息給諾娃看。

「喔，你真是太聰明了。」諾娃親一下小指頭，再用小指頭觸摸赫本的胸部。「現在，去找達克斯和巴克斯特吧。把訊息傳給他們，還有要注意安全。」

劇院的鈴聲響了五次，表示再過五分鐘，頒獎典禮就要開始了。

諾娃把手舉到密閉窗戶上面狹窄的通風口。

「叫他動作快，赫本。」

漂亮的吉丁蟲跳到空中，飛出劇院，留下諾娃獨自一個人。

31 甲蟲叛亂

諾娃坐到前排史黛拉．曼寧與瑪泰中間的座位時，正好燈光暗了下來。豎琴弦宛如有魔力般迴旋彈奏，聚光燈在天花板上繞圈掃射，諾娃的心臟怦怦直跳。簾幕拉起，燈光移動指向舞臺中央頒發獎項的位置。有兩座樓梯從觀眾席通到舞臺上，左右各一，鏡框式舞臺上方的拱形結構上裝飾著一串串閃爍的燈，讓諾娃聯想到螢火蟲。她想到了牛頓、柏托特和達克斯，默默祈禱赫本安全的找到他們。

一個低沉洪亮的聲音從擴音器傳來：「晚安，各位先生女士，歡迎參加第九十二屆年度電影獎頒獎典禮。今晚將是個令人興奮的夜晚，典禮即將開始，讓我們歡迎主持人李奧諾拉．拉維許上臺！」

管弦樂團突然演奏起音樂，閃爍的燈光如波浪般起伏，觀眾鼓掌歡迎一位身高六呎的男士入場，他蓄著鬍子，長得很迷人，身穿點綴著閃亮水晶的高雅禮服。他說了一段獨白，惹得所有的大人哄堂大笑，但是諾娃太過緊張，所以沒有認真聽，接著他唱起歌來，表演了一段組曲來介紹所有入圍的電影，歌聲非常清亮悅耳。看到李奧諾拉假裝是她，和一頭巨龍交朋友，最後被巨龍吃掉的那段，諾娃紅了臉咯咯傻笑。一架攝影機在舞臺側面沿著軌道移動，諾娃意識到攝影機正在拍她，全世界的人都看得到她，擔心得腸子都揪緊起來。**這就是瑪泰想要的！**她恍然大悟。

她偷偷看向右邊，瑪泰一動也不動的坐著，目光緊盯著舞臺，專注的程度就像盤繞的蛇準備撲出去一樣。達克斯的爸爸坐在她旁邊，假裝被李奧諾拉．拉維許逗得發笑，但是看起來焦慮不安，身體緊繃。諾娃在想她是否應該試著告訴他達克斯來了，但那是不可能的事，因為瑪泰無時無刻把他留在身邊。

隨著獎項一一頒出，諾娃越來越緊張不安。音樂及笑話似乎越來越花哨，也越來越不好笑。最佳男主角和最佳女主角是大獎，安排在典禮的最後。等待令人難以忍受。諾娃一直向前傾身，想要看看舞臺側翼，希望能發現達克斯的蹤影。她偷偷瞄了巴索勒繆．卡托幾次，不過他的臉上沒有表情。他到底在玩什麼遊戲？

突然響起一陣響亮的喇叭聲。「請歡迎比利．凡奈堤上臺。」

大家站了起來，為去年贏得最佳男主角的男士鼓掌。他兩手中拿著一座純金的電影獎獎座和一個信封。諾娃深吸口氣。時候到了。無論要發生什麼事，馬上就要發生了。她閉上雙眼想著達克斯。

比利．凡奈堤停在麥克風前。

「我們直接進入主題吧，」他說，對著攝影機笑了笑。「入圍最佳女主角的有：小露比．希梭羅，她在《架起你心中的橋》中飾演莎拉．連恩，這是個以十八世紀橋梁興建為題材，講述暗戀得不到回應的悲劇故事。」他停頓了一下讓觀眾鼓掌。「史黛拉．曼寧，在《海達．蓋伯樂》中飾演海達．泰斯曼，這部電影改編自易卜生的經典作品，描寫一位熱情奔放的女子擺脫婚姻生活的桎梏。」他再度停下來等待如雷的掌聲結束。「以及諾娃．卡特，在《馴龍記》中飾演萊拉，一部關於盲眼少女與她的寵物龍的奇幻史詩作品。」他停頓下來。只有疏疏落落的禮貌性掌聲。「得獎的是……」他撕開信封。「諾娃．卡特，《馴龍記》裡的萊拉。」

觀眾感到訝異，明顯靜默了一段時間後，陣陣掌聲才響起。

諾娃像個機器人站了起來，她旁邊的盧克莉霞．卡特也站起來，牽著她的手，帶她走上舞臺。

比利．凡奈堤把獎座頒給諾娃．卡特時，掩飾不住臉上的驚訝。

「對不起。」諾娃接下獎座時低聲說。他向她行個禮後走到一旁。

站在舞臺中央，盧克莉霞．卡特傾身靠近麥克風露出笑容。

「我相信你們很多人一定覺得奇怪，為什麼我們會站在這上頭？畢竟《馴龍記》是部空洞的奇幻作品，這孩子的演技又糟透了。」她大笑起來。

諾娃感覺身體裡面凍結成冰。她害怕極了。

「我付了大筆的錢，今晚才有機會站在這裡，在全世界所有螢幕都對準這個舞臺的時候。所以就我來說，我想要將這個獎獻給那群投給《馴龍記》的貪婪、聽話的蠢蛋。」

觀眾中傳出不自在的竊竊私語，音控室突然開始播放響亮的音樂。

「你們**不能**阻止我說話！」盧克莉霞・卡特搖搖頭，嘖了一聲。「丹奇許！處理一下音控師，好嗎？」

有人發出一聲喊叫，接著音樂停止播放。觀眾席上紛紛響起擔憂的低語。

「這樣好多了。好了，我們說到哪裡了？」

兩名警衛跑上舞臺。毛陵穿過厚重的紅色布幕，揮舞拳頭，一拳就把他們打倒在地，兩人都倒地不起。接著他掏出槍指向觀眾席上受到驚嚇的電影明星，比利・凡奈堤拖著腳步往後退出舞臺，看起來嚇壞了。

「玲玲，你處理完保全人員了嗎？」

這位司機出現在盧克莉霞・卡特的腳邊，她雙手合十，垂下頭，她的帽子不見了。

「很好。現在不會再有干擾了。」她指向觀眾。「我來這裡不是為了你們，不過只要有人亂動，毛陵就會開槍射殺。」她低頭看向亮著紅燈的攝影機。「哈囉，各位。Bonjour，Hola，Hej，Merhaba，Konnichiwa[1]。抱歉打擾你們欣賞乏味的年度電影獎頒獎，不過我帶了一部正在創造歷史的實況紀錄片到這裡。」她朝空中舉起雙手，背後的紅色布幕立即拉開，顯露出巨大的螢幕。「這部影片將會改變你們可憐的生活。」

1 依序為法語、西班牙語、瑞典語、土耳其語、日語的「你好」之意。

一片綿延起伏的小麥田出現在螢幕上。

「這是不是美極了？」她指著畫面。「這些小麥將會收成，製成你們吃的麵包、義大利麵、漢堡包、貝果。」她從隱藏式口袋拿出手機。「你們也許不知道，但是有一種力量比金錢更強大。」她低頭對手機說話。「柯雷文，你聽得見我的聲音嗎？向全世界的人揮揮手吧。」柯雷文不懷好意的笑臉出現在畫面上，他對著攝影機揮了揮手。「柯雷文現在在德州，美國的小麥帶。你們知道美國是世界上第三大小麥生產國嗎？產值大約在九十億美金。」她拿起手機。「柯雷文，放出甲蟲。」

攝影機的鏡頭突然轉回來，顯示柯雷文站在一輛卡車的柱形槽後面。他用力扳動把手，柱形槽猛然打開。一陣吵雜的嗡嗡聲響起，空中布滿了數百萬隻小型黑甲蟲，遮蔽了攝影機和田野的景色。

觀眾席出現陣陣倒抽氣聲和壓抑的擔憂叫聲。

「電視實況轉播，各位！」盧克莉霞．卡特指向螢幕，並且鼓掌了一陣。「哎呀，看來我的甲蟲餓了呢。」攝影機拉近，特寫一株小麥穗遭到一大群甲蟲毀滅。「我猜有些人明年早餐沒有吐司可以吃了，麵包會變得非常昂貴。」她的喉嚨發出低沉的笑聲。「真希望佛羅里達州的水果收成沒問題啊，甲蟲最愛水果了。」她把一根手指按在金色嘴唇上假裝擔憂，接著突然把那根手指舉起來，擺出誇張的姿勢。「我敢打賭你們從來沒有花時間去了解卑微的甲蟲。你們知道甲蟲是地球上進化程度最高、適應力最強、最成功的生物嗎？不知道？地球上的甲蟲種類多到數不清。牠們可以生活在最惡劣的棲息地，在陸地上和水裡都行，而且數量遠遠超過我們。」她微微一笑。「不過到目前為止，牠們欠缺的是一位領袖。嗯，這一切即將改變。」她背後的螢幕顯示出曾經一片金黃的小麥田，現在黑壓壓的全是甲蟲。「今天是人類時代的結束，與新鞘翅目時代的開端。」

安靜的劇院中有人大笑。

「趁你們能笑的時候儘管笑吧，」盧克莉霞．卡特咆哮著說，「這場革命已經開始了，只不過是發生在極微小的層次，所以你們看不見。你們的作物將會歉收，樹木將會枯死。糞金龜聽我的命令放假去了，你們的牧場上到處都是會傳播疾病的動物排泄物。再過短短的幾個月，你們就會互相攻擊，爭搶剩餘的食物，等你們挨餓，一個接一個死去，你們就會明白我現在說的都是真的。」她越說越大聲，好讓竊竊私語的觀眾聽見。

「**甲蟲即將崛起！**」

她的禮服搖擺如波浪般起伏，反射著燈光而閃閃發亮，接著分解開來，變成一列列整齊劃一的金龜子在空中盤旋，揭露出盧克莉霞．卡特的四條黑色甲蟲腿及黑色的腹部。她弓著身體往前傾，掀起一對金色翅鞘，展開兩隻黑色翅膀，振動著飛離地面。她抬起人類的前臂摘下王冠，搖一搖頭，甩掉假髮和眼鏡，然後再將王冠戴回黑得發亮的頭皮上，兩根觸鬚從頭皮伸出來，再扯掉假下巴，露出黑色的大顎，複眼閃閃發亮。

「**我是甲蟲女王，你們全都要向我臣服。**」

32 晚禮服大戰

達克斯把視線從盧克莉霞．卡特盤旋在空中的嚇人景象移開。他的雙腳感覺好像焊接在舞臺上，身體卻尖叫著要他逃跑。他抓住薇吉妮亞和柏托特的手，他們注視著他，眼睛害怕的睜大。從他們所站的舞臺側翼看不見觀眾，但是能夠聽見困惑的倒抽氣聲，以及壓抑的尖叫聲。有個男人以為這是表演的一部分，鼓掌叫好並大聲說：「這造型真是太驚人了！看看那些假肢道具！」直到毛陵朝他開槍警告。

「不趁現在動手就沒機會了。」達克斯低聲說。

「動手吧。」薇吉妮亞說，柏托特點頭。

「不要被她的甲蟲咬到。」達克斯說，「記住那些黃色瓢蟲。」

接著他跑上舞臺，他的朋友陪在左右兩邊。

「**不！**」達克斯盡全力放聲大喊，「我們**永遠**不會向你臣服！」

盧克莉霞．卡特轉頭，張大黑色的嘴巴。「**你這小子！**我以為你已經死了！」

「**達克斯！**」

他爸爸站在前排觀眾席的中間，穿著時髦的深藍綠色晚禮服，鬍子剃得乾乾淨淨，頭髮上油往後梳。

「離她遠一點！」

「爸！」達克斯猶豫了。

「我只得再殺你一次了。」盧克莉霞．卡特轉向觀眾，「就把這當成給你們……」接著轉向攝影機，「給你們所有人的警告。」她把頭往後仰，發出毛骨悚然的刮擦聲。

「不！」巴索勒繆．卡托大喊。

諾娃放聲尖叫，她的禮服顫動，突然向四周迸出上千顆盤旋的黑珠子，留下她穿著黑色緊身連身褲站在原地。

盧克莉霞．卡特接著又發出一連串達克斯認得的喀噠聲，原本覆蓋在諾娃衣服上的放屁步行蟲直接撲向達克斯的臉。

「達克斯！」他聽見爸爸大叫。「**快跑！**」

這情況已超過典禮來賓能理解的範圍，他們害怕得像在座位上生了根似的，大聲呼喊著緊抓住彼此。

達克斯趕忙蹲下去，抓起綁在背包側面的軟管，將軟管對準朝他快速飛來的放屁步行蟲，按下開關。

「薇吉妮亞！」他大聲喊，「柏托特！」

「在這裡！」他們齊聲回答向前跑，各自打開背包吸蟲管的開關。

巴克斯特在達克斯肩膀上用後腿站立起來，準備刺穿任何成功繞過達克斯手中軟管的放屁步行蟲。幾秒鐘內，達克斯就吸光所有攻擊他的放屁步行蟲，重新站起來。他轉頭查看，擔心甲蟲的酸液會燒穿容器，不過一旦進入背包，遠離盧克莉霞．卡特的命令後，牠們就平靜下來，表現得像普通的甲蟲。

「**警衛！**」一個男人大喊，「**你們在等什麼？抓住她！抓住盧克莉霞．卡特！**」

一個女人大聲尖叫跳了起來，那是全球電影院都聽過的著名尖叫聲。劇院座位的上空突然布滿了閃著微光的白色甲蟲。

所有人不可置信的盯著突然一絲不掛的小露比．希梭羅，有一大群甲蟲聚集在她頭上。她的禮服分解開來，變成大批盤旋不去的昆蟲。

另一聲尖叫響起，嗓音較低沉、渾厚，一大群嚇人的翡翠綠吉丁蟲迅速往上飛，加入白金龜屬的陣營，而史黛拉．曼寧站在小露比．希梭羅旁邊，身上只穿了塑身衣和束腹，正在拍掉臉上的昆蟲。

攝影機早已對準這些有名的女演員，準備等著宣布得獎人時，捕捉她們喜悅或失望的表情，現在卻將小露比．希梭羅光溜溜的屁股和史黛拉．曼寧驚慌的模樣播送到全世界。成群盤旋在觀眾頭上的白色、綠色和金色甲蟲俯衝下來，又咬又抓這群舞臺和銀幕上的明星，驚恐的尖叫、叫嚷與呼喊混合在一起，伴隨著上千雙甲蟲翅膀振動的嗡嗡聲。達克斯看見從史黛拉．曼寧禮服飛出的吉丁蟲有著虎甲蟲的下顎與牙齒，牠們咬過的傷口會流血。

「爸！」達克斯大喊，他看不到爸爸，因為大家開始奔跑、互相推擠爬過座椅。有些人奮力往前走向舞臺，想去抓盧克莉霞．卡特；有些人急急忙忙奔向劇院後面的門，想要逃走。光著身子、歇斯底里的小露比．希梭羅在走道上跑上跑下，試圖從其他人背後扒下衣服來遮住自己的身體。她後悔決定不穿內衣參加頒獎典禮，幾名投機的攝影師爭先恐後的想要拍到照片。

一個女人從吊襪帶掏出手槍開了一槍，瞬間所有人安靜下來，回頭去看那個盤旋的甲蟲女人，查看她是否倒地。子彈擦過盧克莉霞．卡特的外骨骼，向後反彈，切斷支撐住巨大螢幕一邊的金屬絲，螢幕上正在放映遭到摧毀的小麥收成。螢幕的一角掉落到地上，向前搖擺，露出一座由金色鳥籠堆成的金字塔，鳥籠裡擠滿了異國的長尾小鸚鵡，牠們在籠子裡咯咯大叫，撞來撞去想要出來。

盧克莉霞．卡特放聲大笑，從喉嚨發出恐怖的咯咯笑聲和嘶嘶聲，陶醉在這片混亂的狀態中，接著更多發子彈射出。一個男人朝成群的甲蟲揮拳，卻失去平衡，打中一位有名的電影明星，那人轉身揍了他的臉一拳。劇院到處爆發衝突。盧克莉霞．卡特轉向亮著紅燈的攝影機。

「我強烈要求你們的政府起草憲章，將統治權交給我。」她向前傾身，「如果他們動作快，或許你們就不會餓死。」

達克斯跟隨盧克莉霞．卡特的視線，發現玲玲在攝影機後面。這場秀完全是為了讓攝影機拍攝。他得想辦法讓盧克莉霞．卡特停止轉播，不過他也必須阻止甲蟲攻擊人。他眺望觀眾席，發現麥西伯伯和莫蒂止在跟毛陵與丹奇許打鬥，凱麗絲妲．布倫站在他們後面，正在與所有遭到甲蟲攻擊的名人一起自拍。

他的目光落在劇院後面安裝在三腳架上的大型聚光燈，他朝薇吉妮亞和柏托特招手，指一指聚光燈。

「我們必須阻止這個情況，」他大聲說，「那些燈！利用那些燈！」

柏托特皺起眉頭，不過薇吉妮亞的眼睛亮了起來，她點點頭，推了柏托特一把。他們跳下舞臺，跑進觀眾席，邊跑邊吸盧克莉霞．卡特的甲蟲。

「巴克斯特，」達克斯說著拿下肩膀上的甲蟲，「你能不能飛到那架攝影機那裡，找到關閉的開關？」兜蟲點一下頭跳到空中。「諾娃，你進去舞臺側翼。」

「你打算做什麼？」

「別擔心我。」他邊回答邊跳起來，從舞臺上撲向那個致命的司機。

玲玲飛躍起來在空中扭動身體，她的軀幹翻轉，兩條腿像剪刀一樣打開飛踢。達克斯滑過她剛才站的地方，砰一聲摔到地板上。玲玲落地，雙腳跨在達克斯的頭兩邊。

「不！」諾娃尖聲叫喊，急忙跑到舞臺邊緣。

「嗨！」達克斯咧嘴一笑。

就在玲玲抬起腿來要踢達克斯的臉時，他啪一聲打開抽氣機的開關，從吸引器的軟管發射出一連串的放屁步行蟲，正中玲玲的臉。她踉踉蹌蹌往後倒，兩手遮住臉，她的臉被驚慌的甲蟲噴出的酸液灼傷、滋滋作響。

達克斯匆忙爬走，循著攝影機的電線走到配電箱。

盧克莉霞．卡特的觸鬚倏地劇烈擺動，她叫放屁步行蟲離開玲玲，並且命令牠們加入攻擊劇院觀眾的甲蟲大軍。

達克斯迅速打開綁在萬用腰帶上的兩個塑膠容器，裡頭各裝了四隻泰坦大天牛。

「進去電路裡面，」他對基地營甲蟲小聲說，「咬穿那些電線，中止轉播。」

泰坦大天牛馬上就明白指令，牠們急匆匆爬下去，穿過電線，開始啃咬。

達克斯感覺身體突然被提到空中，連忙緊抓住攝影機。玲玲扯掉他的背包，扔到一旁。達克斯拚命掙扎踢腿，可是她的力量大得驚人。

達克斯聽見麥西伯伯大喊：「放開我姪子！」然後看見他捲起袖子朝他們奔來，不過毛陵也發現了他，從舞臺上衝下樓梯，宛如一列蒸汽火車。

為了安全一直緊跟著麥西伯伯的凱麗絲妲．布倫絆了一跤，大叫著跌到盧克莉霞．卡特的大塊頭手下面前的地板上。

「媽！」柏托特大聲呼叫，跳上聚光燈架，用力將聚光燈扳過來對準毛陵，毛陵瞬間看不見，緊接著遭到一大群被燈光吸引過來的甲蟲攻擊。

凱麗絲妲·布倫急忙爬起來，但細高跟鞋的鞋跟打滑了一下，向後摔倒，意外演出倒掛金鉤，踢中毛陵的私處。

毛陵停在原地一會兒，兩手緊抓著命根子，臉上的表情像是吃了檸檬一樣。麥西伯伯轉過來揍他一拳。毛陵倒在地上。

玲玲把手臂往後拉，達克斯以為她準備打他，不過她是要保衛自己，擋住朝頭部揮來的麥克風架。她擋下那一擊，抓住架子轉過頭去，緊抓住麥克風架另一端的是諾娃。

玲玲轉身，用空著的那隻手臂繞住麥克風架的桿子，將諾娃舉到空中。諾娃放開手往後一跳，快速側手翻一圈，再側翻內轉後落地，擺出攻擊的姿勢。

達克斯看得目瞪口呆，但他還來不及歡呼，諾娃已經跑向前，踮起腳尖旋轉，連續使出迴旋踢，在她旋轉時眼睛始終緊盯著玲玲。

玲玲把達克斯推到一邊，這時諾娃的腳劃過她的臉頰，割開她已經起水泡的皮膚，血噴得地板上到處都是。

達克斯盯著諾娃的雙腳。那是爪子。黑色幾丁質的爪子，跟她媽媽一樣。

玲玲重新振作，猛烈的攻擊諾娃，諾娃擋住她的拳打腳踢，但仍不是這個致命司機的對手。諾娃往後翻，卻絆了一下跪倒在地，玲玲突然站在她前方，滿臉鮮血和水泡。

達克斯急忙爬向前，抓起被丟棄的麥克風架，朝玲玲支撐重心的那條腿掃過去，讓她失去平衡。「**快跑！**」他對諾娃大喊。

他跳上劇院座椅，看見薇吉妮亞和柏托特各自站在劇院後面巨大的鉻合金聚光燈後頭，正努力控制聚光燈的移動。他往上指著大家頭上甲蟲漩渦的核心。「**把燈往那邊照！**」他大聲說，「**那上面！**」

薇吉妮亞看見他，順著他的手指看去，點了點頭，接著移動強光，照進那一大群甲蟲裡面。她大聲叫柏托特跟著她做，兩道光束交會，形成一團聚集的光。

甲蟲無法抗拒光的吸引。牠們不再跟人類纏鬥，著迷的飛進、穿過、環繞著那團光。

33 掠食者與獵物

「達克斯，請聽我說。」

聽見諾娃的聲音，達克斯轉身從劇院座椅上跳下來。

「你得幫幫我。」諾娃抓著他的手脫口而出，「瑪泰要把我放回蛹室。」

「蛹室是什麼？」

「那個好痛，我很害怕。」諾娃用力的咬著嘴唇，他可以看到唇上滲出血來。「她打算把我變成甲蟲，像她一樣。」

「不會的，諾娃，我絕對不會讓她那麼做。」達克斯搖頭。

「謝謝你。」諾娃猛然張開雙臂擁抱他，「我就知道你會了解。謝謝你，謝謝。」

「哎喲！放開啦！」達克斯大笑著抽開身。

「你千萬要離玲玲遠一點。」諾娃擔憂的張大眼睛，「她會殺人，而且不費吹灰之力。」

達克斯的目光迅速瞥向一群熱愛健身的演員和特技演員，他們圍繞著這位司機。玲玲站在他們中間，鎮定自若的準備戰鬥。

「是赫本找到你們的嗎？」諾娃問，「牠沒事吧？」

「赫本好厲害。」他啪一聲打開腰帶上的小袋子，「牠的摩斯密碼非常完美。」

「喔，親愛的小赫，你在這裡啊。」諾娃柔聲說著，舉起漂亮的吉丁蟲摟抱牠。

達克斯抬頭往上看。「嘿，為什麼聚光燈不是朝向空中？」

他聽見背後傳來驚慌的呼喊聲。甲蟲再度恢復攻擊，而且這次更加凶暴。白色甲蟲的爪子割開、劃破人的臉和脖子。

他看向舞臺。盧克莉霞．卡特正得意洋洋的俯瞰劇院裡的大屠殺，而達克斯的爸爸就站在她的身旁。

達克斯正準備大喊時，諾娃抓住他的手臂。「別喊，達克斯，他是站在她那邊的。」

達克斯的內心揪了一下，搖了搖頭。「他不可能站在她那邊。」

「他曉得蛹室的事，還打算任由瑪泰改變我。」

「不會的。」達克斯凝視著諾娃，「他不是那樣的人。」

「達克斯，我聽見他們的對話了。」

「我不相信。」他從她手中掙脫。「警衛到哪裡去了？」他生氣的張望四周。「外面明明有大批的警衛啊。」

「玲玲除掉了這棟建築物裡面的所有警衛，而且把門鎖上。或許外面的人不曉得裡頭出了事。」

「他們難道都不看電視嗎？」達克斯厲聲說，「我們必須讓警衛進來。馬上。」

「要怎麼做？」

達克斯指向牆上的玻璃箱。「火警警報器。」

在他們與警報器的按鈕之間，玲玲正把十個男人踢得屁滾尿流。

「巴克斯特！」達克斯呼喚，一直在攝影機上頭和甲蟲打鬥的兜蟲飛到他手上。

「你可以用犄角打破那片玻璃，按下按鈕嗎？」

巴克斯特沒耽擱時間回答，立刻轉身，往上飛過正在打架的人類頭上。

「我們快要輸了，」達克斯驚恐的環顧四周，「我們需要那些保全人員。**馬上。**」

「我去放他們進來。」諾娃說著跳了起來。

「諾娃，你的腳！」達克斯低頭看著她爪子末端的鉤子，「你為什麼沒告訴我？」

「你討厭這樣的腳嗎？」她問，「很醜，對不對？」

「你在開玩笑嗎？」達克斯注視著她，「**這棒極了！**你能爬牆什麼的嗎？像甲蟲一樣？」

「我不知道。」諾娃皺了皺眉，「我從來沒試過。」

「什麼？」達克斯大聲驚呼，「如果我有甲蟲腳，我要做的第一件事就是爬牆。」

諾娃低頭看一眼黑色的雙腳，轉身就跑，強而有力的爪子驅動她向前。接近牆壁時，她抬起一隻腳，接著是另一隻腳，爪子鋒利的鋸齒形邊緣砍進磚塊裡，她一路跑上天花板，再繞過轉角到劇院後門去。

震耳欲聾的警報聲響起。巴克斯特辦到了！

達克斯再度跳到椅子上，看見麥西伯伯把丹奇許逼到牆邊背靠著牆，一隻手掐住那個壞蛋的脖子，毛陵則跪在凱麗絲妲・布倫的腳邊，痛得彎下身子，不過他們兩人現在都遭到甲蟲攻擊。他掃視劇院，但是四處不見薇吉妮亞或柏托特的蹤影。

他一把抓起背包，重新綁回身上。這場戰役離結束還久得很。他轉向舞臺，看見爸爸正在跟盧克莉霞・卡特激烈的交談，頓時懷疑、憤怒與愛等激動的情緒在內心翻攪。爸爸沒有在做他該做的事，像是和她吵架或戰鬥，看起來反倒像是在懇求她。

達克斯怒目瞪著盧克莉霞・卡特，想知道怎樣才能傷害一個刀槍不入的人。

你們擁有的最大武器就是知識。每種生物都有天敵，自然界就是這樣維持平衡。石川佑樹博士的聲音在他腦中響起。**想想看，達克斯。你們知道她的本質。**

達克斯的目光越過只靠單根金屬絲搖搖晃晃吊著的螢幕，看向堆成金字塔形的金色鳥籠，裡頭滿是珍奇的鳥兒，拍著翅膀飛來飛去。「就是這個！」他倒吸一口氣，突然跳上舞臺左側的臺階，飛奔到盧克莉霞・卡特後面。

「長羽毛的朋友們，晚餐的時間到了！」他大聲喊，猛然打開籠子，發出噓聲將鳥兒趕到劇院裡。牠們迅速飛進布滿甲蟲的洪流裡，開心的啄食，能吃多少就吃多少。七隻較大的鳥兒脫離鳥群，飛到舞臺前沿，牠們所見過最大的甲蟲正在那裡的空中盤旋。

那群鳥兒啄她的翅膀和眼睛，盧克莉霞．卡特發出尖叫摔到地上。

「巴克斯特！」達克斯倒抽一口氣。他急著反擊，沒想到讓他最好的朋友陷入危險。他立刻轉身，仔細查看火警警報器旁邊的那面牆，但不見巴克斯特的蹤影。達克斯無法呼吸。他感覺到有東西在撞他的腳踝，低頭一看：兜蟲正在用頭撞他。他連忙撈起甲蟲，親一下牠的胸部，然後才將巴克斯特放到肩膀上。「巴克斯特，緊跟著我，我不希望那些鳥抓到你。」

達克斯的巨型吸蟲管裡頭是空的，而他發現那對基地營甲蟲來說是最安全的地方。在裡頭牠們會得到保護，不會遭到飢餓的鳥兒吞食。他從舞臺邊緣跳下去，匆忙跑到配電箱。拜泰坦大天牛所賜，配電箱已成為一堆亂七八糟的銅線。

「各位，快點，我得在鳥兒吃掉你們之前，把你們吸進吸蟲管！」他打開抽氣機的開關，將泰坦大天牛吸進去。「這個廳裡全是鳥兒，」他對藏在萬用腰帶裡的基地營甲蟲大軍低聲說，「除非我叫你們，否則不要出來。」

基地營甲蟲嘰嘰喳喳回答。

在莫蒂席拉的帶領之下，一隊保全人員從劇院後面的雙扇門衝進來，他們直接奔向玲玲和倒在地上呻吟的演員。達克斯看見薇吉妮亞和柏托特在走道上背對背，用抽氣機吸盧克莉霞．卡特的甲蟲。戰役的情勢轉變了。盧克莉霞．卡特的甲蟲大多進了開心的鳥兒肚子裡，或是在柏托特和薇吉妮亞的吸蟲管中。

「**離我遠一點！**」盧克莉霞．卡特尖聲喊叫，揮拳揍其中一隻鳥。

玲玲在舞臺前面抵抗警衛，只要他們一拔出武器就立刻解除他們的武裝。丹奇許受了傷，跛著腳費勁的爬上舞臺，與受傷的毛陵會合。諾娃帶著駐守在劇院後門外面的警衛衝上舞臺一側。

「**不！**」盧克莉霞．卡特憤怒的搖頭。鳥兒將她團團圍住，不停的啄她。「你們阻止不了我。**已經太遲了！**」她看向劇院，用一隻甲蟲腿攬住達克斯爸爸的腰部往上升，將巴索勒繆．卡托舉到空中。「你們這群傻瓜！」她用人類前臂拍開最後幾隻攻擊的鳥兒。「你們贏不了的。地球已經在我的股掌之中了！」

「爸！」達克斯還來不及思考就拔腿跑起來，穿過門，登上一段樓梯，衝到包廂區，跑進一間俯瞰舞臺的包廂裡。

在盧克莉霞．卡特將他爸爸緊扣在腹部往上升時，達克斯跳到欄杆上縱身一躍，抓住她的脖子。盧克莉霞．卡特沒料到攻擊，嚇得放開了爪子，巴索勒繆．卡托摔到舞臺地板上，發出驚人的悶響。

「臭小子，我要殺了你！」她尖聲嚷著旋轉身體，用兩條手臂和兩隻鋸齒形的甲蟲腿抓住他，上升到劇院更高處的吊桿升降區，那裡有許多燈桿和垂下的繩索，連接著一幅幅舞臺布景。在上方高處的平臺上，達克斯看到了傑拉德。他想要緊抱住盧克莉霞．

卡特的脖子，可是盧克莉霞．卡特把他拉開，抓到自己面前。

「有被甲蟲咬過嗎？」她說著張大黑色口器，朝達克斯伸出大顎。他的臉距離她鋒利無比的牙齒只有幾吋，而且她的口氣臭得像爛掉的梨形糖果。

「甲蟲們！」達克斯大叫，兩腳猛踢盧克莉霞．卡特的腹部。他把自己往後推到空中，兩條手臂往後揮，好像要向後跳進游泳池一樣，為自己製造足夠的動力，好逃離她的掌握。

他原本應該會像重物一樣墜落到地上，不過基地營甲蟲和他在一起，牠們從他的背包和萬用腰帶的口袋一湧而出，迅速聚集在他下方，竭盡全力往上飛。巴克斯特在他的肩胛骨之間；諾娃放出赫本，柏托特派出牛頓，薇吉妮亞則將馬文拋到空中。吸蟲管裡的泰坦大天牛死命往上飛，使勁向屋頂推，減緩達克斯墜落的速度，讓他慢慢、安全的下降到地面。

「夠了！」盧克莉霞．卡特火大了，她迅速下降，對受傷的心腹大聲下令。丹奇許和毛陵消失在舞臺側翼，玲玲則跑向舞臺上的紅色布幕。她往上一跳，將布幔緊緊夾在腳踝間，再將布料折疊方便抓握，一路攀爬到頂端後，翻轉成頭下腳上的姿勢，用兩腳鉤住燈桿，手腳並用的爬進吊桿升降區。

達克斯一落地，諾娃馬上奔向他，滿臉笑容，兩條手臂張得大大的。

「你辦到了！你贏了！」她大喊，這時一隻巨大的黑色幾丁質的腿從背後抓住她，將她往後拉上空中。

達克斯看見諾娃臉上震驚的表情，接著她放聲尖叫，在盧克莉霞．卡特帶著她急速攀升時，發出十足恐懼的叫聲。

「不！」達克斯往前跑，但是太遲了。

巴克斯特飛快衝去追諾娃，兜蟲英勇的奮力用犄角攻擊盧克莉霞．卡特。她用幾丁質的爪子打得巴克斯特從空中摔下來，黑色大甲蟲以驚人的速度往地面墜落。

「巴克斯特！」達克斯大喊。

盧克莉霞．卡特哈哈大笑，飛上吊桿升降區消失了蹤影。

達克斯跌跌撞撞衝上前。巴克斯特的翅膀沒有張開，眼見牠就要撞到地上了，他卻無法及時趕到牠身邊。他邊啜泣邊撲向好友，心裡知道已經太遲了。

這時達克斯的爸爸出現了，他伸長雙臂接住兜蟲，將兜蟲拉到懷裡後摔到地板上，疼得發出一聲悶哼。

達克斯腳步踉蹌的奔向爸爸。

「爸？巴克斯特？」他跪在爸爸身旁，擦去眼淚。「你還好嗎？」

巴索勒繆．卡托小心翼翼的張開雙手。兜蟲坐在他的手掌上，雖然愣住了，但是還活著。巴克斯特舉起前腿，無力的向達克斯揮了揮，表示牠沒事。

「喔，巴克斯特！你這隻瘋狂勇敢的甲蟲！我還以為失去你了。」他抓起甲蟲舉到胸前，肩膀往前彎，環繞著弓成杯狀的雙手。「以後不許再這樣對待我了。」

巴克斯特張開嘴巴，仰頭對達克斯微笑。

「爸，你救了牠。你救了巴克斯特一命。」達克斯對爸爸綻開笑容，「我就知道你其實是站在我們這一邊的。」

「達克斯，你聽我說，」巴索勒繆．卡托站了起來，「我必須跟她走。我必須跟盧克莉霞．卡特走。」

「什麼？可是、可是我救了你啊。」

「沒錯，你很了不起。不過你看到了她的打算，還有她已經在做的事，遠比這場頒獎典禮的規模大多了。在全世界落入她的控制之前，她絕不會罷手。」巴索勒繆．卡托握住兒子的手，「我得跟她走，這是我阻止她的唯一機會，而且我有計畫了。」他停頓一下。「不過只有她認為我拋棄了你，認為我選擇了她而不是你，她才會信任我。」他緊緊握住達克斯的手，直視他的眼睛。「你能了解嗎？我明白這個要求很過分。」

達克斯點點頭，爸爸把一張紙放進他口袋。「她有個祕密實驗室，叫百歐姆。」

「藏在亞馬遜裡。」達克斯說。

「對！」他爸爸一臉驚訝，「另外，關於史賓賽．克里普斯的事你說對了。她把他藏在那裡。告訴史賓賽的媽媽他還活著，被迫為盧克莉霞．卡特工作。這個，」他指著達克斯的口袋，「是座標。我從管家那裡拿到的——他站在我們這一邊。你必須告訴全世界發生了什麼事。去找昆蟲學家，他們會幫助你。」

達克斯站起來。「爸，你必須保護諾娃，別讓盧克莉霞．卡特把她放回蛹室。她很害怕，她是我的朋友。」

「我會的，我保證。」巴索勒繆．卡托點頭，把雙手放在達克斯的肩膀上。「我們吵架的那天晚上，我應該聽你的話——關於甲蟲，還有所有的事。我很抱歉。牠們真的很不可思議。**你**很了不起。」他緊緊的擁抱達克斯和巴克斯特。「我需要你再勇敢一下下，如果你能撐下去，最後再來救我一次吧。」他放開手。「然後我們就可以再度團聚，再也沒有任何事情可以把我們分開。我保證。」

「只要你需要，無論多少次我都會去救你。」達克斯說，眼中充滿了淚水。「我和巴克斯特都會去。」

「孩子，我愛你。」巴索勒繆．卡托回過頭說，接著轉身跟在丹奇許和毛陵後面，爬上梯子進入吊桿升降區。

34 偷渡客

亨弗利跟皮克林站在一棟公寓大樓的屋頂平臺上，這裡緊鄰著好萊塢劇院。稍早，他們找到一座太平梯，來到屋頂上。

「要是我們沒辦法進入劇院一樓，」亨弗利說，他查看兩棟建築物之間的空隙。「那我們就從頂端進去。」

兩棟建築物之間相隔了三公尺的距離，高度則差了十四層樓。

「你看！」皮克林拉扯亨弗利的袖子，「盧克莉霞・卡特的直升機！」

在劇院屋頂上有個直升機起降場，停了一架側面印著金龜子的黑色直升機。坐在駕駛座位上的是那位法國管家。

「我看到了。」亨弗利咕噥著說，「我也看到我們和那片屋頂之間的巨大空隙。」

「也沒多大啊。」皮克林的兩眼緊盯著直升機不放，不斷舔著嘴脣。

亨弗利指向直升機起降場邊緣的一串粗鐵鍊。「你要是能夠拿到那條鐵鍊，綁在空調口上再扔回來給我，我就可以盪到那邊再爬上去了。那條鐵鍊看起來夠牢固，可以承受我的重量。」

皮克林的眉頭皺了起來。「可是我要怎麼過去那裡呢？」

「我會把你拋過去。」亨弗利說。

皮克林驚訝的張大嘴巴。「你會什麼？」

「你退到遠遠的那頭，到屋頂另一頭的邊緣，我會站在這裡。」亨弗利把兩腳抵在粗矮的牆壁上固定住，避免他們跌下屋頂邊緣。「你全速衝刺跑向我，然後跳起來，好像要跳過空隙一樣，在你跳起來的時候，我會抓住你把你扔過去。」

皮克林的眉毛挑得老高，都碰到他亂蓬蓬的頭髮了。

「沒有別的方法可以過去。」亨弗利說，用手背擦了一下鼻子。

「你會使出全力把我拋過去。對吧？」

「對。」

「好吧。」皮克林踏著沉重的步伐走到屋頂另一端。到達後，他蹲下來擺出衝刺的起跑姿勢，屁股翹在半空中，拳頭放在地面上。

「等一下！」亨弗利阻止，「把裙子塞進你的三角褲裡，否則會礙事。」

皮克林挺直身體站起來，將印花長裙收攏起來塞進三角褲裡。

「數到三，」他大聲說，重新蹲下去。「一，二，三。」然後奮力衝向亨弗利。

亨弗利彎曲膝蓋，伸出雙手，準備就緒。

當皮克林的雙腳著地準備跳起來時，他用超大的音量尖聲大喊。「**現在————！**」

「啊————！」亨弗利咆哮著使出全力把皮克林往前投擲，放手後他自己立刻猛然往後退，以免從建築物邊緣摔下去。當屁股跌到地板上時，他懷疑自己剛才是不是錯失了擺脫這個煩人表哥的大好機會。

他靠著圓滾滾的手肘撐起身體，看看皮克林是否成功到達對面了，但是沒看到皮克林的蹤影。他低頭費力查看兩棟建築物之間的巷子。地上沒有摔成爛泥的皮克林。

亨弗利站了起來，看見他表哥平躺在劇院屋頂上，鮮血從他的鷹鉤鼻流下來。他的鼻子斷了，歪向左邊，而不是筆直的。皮克林慢慢坐直身體，亨弗利捧腹發出低沉的笑聲。成功了！

「嘿，皮克林！」他大聲喊。

皮克林看向他眨了眨眼，血順著下巴流下。

亨弗利指一指。「去拿鐵鍊。」

皮克林小心翼翼站起來，跌跌撞撞往前走，從煙囪底部弄鬆一塊破掉的磚塊，拿到焊接著鍊子的鐵柱旁。他大力敲擊鐵鍊，直到鍊子脫離鐵柱。亨弗利密切注意著管家，不過他沒注意到他們。皮克林從鐵柱上解開長長的鐵鍊，用雙手抱著走回煙囪那裡，繞煙囪一圈後再打個結，然後將鬆開的那端扔給亨弗利。

亨弗利使勁扯了扯鐵鍊，以確定鍊子能夠承受他的體重，接著，在他有機會改變心意之前，他把鐵鍊在手腕上繞了好幾圈，衝向屋頂邊緣，盡全力跳遠，然後在開始墜落的時候抓起鐵鍊，讓自己往前擺盪。他重重的撞到劇院的牆壁，下降了半公尺，不過鐵鍊牢牢的支撐住了，於是，他交替使用兩手，把自己拉上劇院屋頂。

他的手肘一爬上建築物邊緣，皮克林立刻彎下身去抓住他的皮帶環，幫忙拉他上來。

亨弗利仰躺著喘氣。他的心臟從未跳得這麼快。

「管家走出直升機了！」皮克林小聲說，迅速在亨弗利旁邊趴下。「他往那扇門走，那扇門肯定是通到劇院裡面。」他的眼睛亮了起來，低頭看著亨弗利。「我們應該跟在他後面。」

他們聽見下面的街道上傳來一陣騷動。亨弗利從建築物邊緣偷窺，等待在胸膛裡狂跳的心臟平緩下來。許多人尖叫著跑出劇院。

「裡面出事了。」

「我們進去裡面查清楚是什麼事。」皮克林跳起來。

「不行！」亨弗利搖頭，指向直升機。「笨蛋，你想想看。盧克莉霞．卡特要用那個離開這棟建築物。」他朝表哥咧嘴笑。「所以我們不要進去劇院，我們要坐上那架直升機，跟她一起。」

「這真是個好主意！」皮克林讚嘆，「不知道直升機要去哪裡？」

「八成是去她私人小島上的奢華別墅吧，有椰子樹和游泳池的那種。」亨弗利回答。

表兄弟倆急忙站起來，衝向直升機。

「這裡沒有地方可以躲藏啊！」皮克林檢查機艙內部後大聲驚呼。他說得沒錯。他們要是上去，馬上就會被發現並且被趕走。

「直升機有行李艙嗎？」亨弗利問道。

「這裡！」皮克林尖聲說著打開艙門，「裡面裝滿了旅行袋。」

「快點，把袋子拉出來。我拿到屋頂邊丟掉。」

皮克林清空行李艙後匆忙爬進去，亨弗利則將盧克莉霞．卡特所有的旅行袋從大樓側面扔下去。

「進去一點。」亨弗利說。他四肢並用的倒著爬進去以便關門。

「哎喲！空間不夠啦。你太肥了。」

「閉嘴。」亨弗利往後擠，使勁一拉把門關上。他聽見表哥低聲哀叫。「怎麼了？」他生氣的小聲問。

「你的屁股頂著我的臉，」皮克林不高興的說，「你最好不要放屁。」

「噓。」亨弗利把頭歪向一邊，「我聽見有人來了。想想看，等我們出去的時候就會在天堂了。」

「而且跟盧克莉霞．卡特單獨在一起。」皮克林用輕柔的聲音低聲說。

35 耶誕節

達克斯跟著麥西伯伯走在醫院走廊上。白色天花板上掛著耶誕節飾品，經過一扇扇病房的窗戶時，他意識到有很多人無法跟家人共度耶誕節。不是只有他而已。

「到了。」麥西伯伯宣布，打開門快步走進去。

坐在床上喝著綠茶的是安德魯·艾波亞教授。

「安德魯，祝你耶誕節快樂。」麥西伯伯用低沉洪亮的聲音說，然後在床邊的椅子上坐下來。

達克斯害羞的拖著腳步走到他身邊。「耶誕節快樂，艾波亞教授。」

「你們兩位也耶誕節快樂。」艾波亞教授舉起茶杯，「祝你們的生命週期比蜉蝣長。」他輕聲一笑。

「我帶了個禮物給你。」達克斯說，拿出一個包裝鮮豔的盒子，緊張的抓在手裡。

「我這麼老了，不需要禮物，」艾波亞教授抗議，「你不用特地這麼做的。」

「是我自己想送的。」達克斯說。

教授放下茶杯，小心謹慎的拆開禮物。他們從美國回來後，麥西伯伯打電話到醫院詢問艾波亞教授的狀況，得知他在電影獎前一天從昏迷狀態醒過來了，而且似乎復原得非常迅速，很快就能完全痊癒。達克斯鬆了一口氣，不過他仍然覺得艾波亞教授當初入院是他的責任。

「你好些了嗎？」他問。

「我想是吧，」教授回答，「看來我是被有毒的昆蟲叮咬了，這件事很古怪，因為他們在我體內發現的毒液似乎是黑寡婦蜘蛛的，但是在我昏倒之前唯一看到的昆蟲是隻黃色瓢蟲，而且這國家沒有黑寡婦。」他搖搖頭。「幸好我以前被黑寡婦咬過，似乎產生了一些免疫力。」

「你曾經被黑寡婦咬過？」

「喔，那完全是我的錯，我不小心嚇到了那可憐的東西。黑寡婦沒有攻擊性。」他邊說邊拆掉禮物上的包裝紙，「達克斯，這真是太棒了！包裹著巧克力的蟋蟀，好棒的禮物。謝謝你。」

「那隻瓢蟲是盧克莉霞．卡特的。」達克斯說，「我們一直在研究牠們。那種帶有十一個斑點的瓢蟲非常致命。」

「真的嗎？真有意思。我想看看你們的研究。」艾波亞教授揉揉眼睛，「我肯定惹火了露西，因為我請全球昆蟲學網呼籲市民監測昆蟲入侵，要大家留心她的科學怪蟲。」

「我以為是我的錯。」達克斯說。

「什麼？你為什麼會這麼想？」

「是我把瓢蟲帶到你那裡去。」達克斯坦承。

「親愛的孩子，不是那樣的。自從法布林計畫停止後，我就一直擔心露西・強斯登。你要知道，你不是唯一對抗她的人。」

達克斯露出開心的笑容。「那真是好消息。」

「我問過醫師了，」麥西伯伯說，「如果你想回家的話，他們很樂意批准你出院。」

「我非常想回家。」艾波亞教授微微一笑，「我得餵我的節肢動物。」

「那我們載你。我的車停在停車場。」

「我們要去薇吉妮亞家吃耶誕晚餐，」達克斯說，「你也被邀請了。雖然沒有蟲子可以吃，不過如果你想來，我們可以告訴你有關盧克莉霞・卡特的所有事情。」

艾波亞教授已經掀開毯子，正在穿鞋。「聽起來棒極了，達克斯。我想聽所有的細節。我在電視上看了頒獎典禮。」他指向用螺栓固定在牆壁上的螢幕。「我從來沒看過那麼瘋狂的事。」

達克斯舉起手按下門鈴。

「耶誕節快樂！」薇吉妮亞大聲說著，猛然拉開門。「你伯伯和教授呢？」

「他們快到了。在教授體力恢復之前，他得坐輪椅。」達克斯說，跟著薇吉妮亞走進華勒斯家。「不過他很好。」

薇吉妮亞的姊姊莎琳娜正坐在樓梯上講手機，摳著指甲上螢光黃的指甲油，一副感到無聊的樣子。薇吉妮亞帶達克斯進入客廳。她大哥大衛坐在大扶手椅上，戴著耳機，眼睛死盯著遊戲機。他們進到客廳時，他向他們哼了一聲。

「那是大衛版的『耶誕節快樂』。」薇吉妮亞說。

轟隆隆的聲音響起，祥恩跑下樓梯，闖進客廳，飛奔到他們後面。「你帶了兜蟲來嗎？」他問。

「你的禮貌到哪裡去了？」芭芭拉．華勒斯搖搖擺擺的走進來，用茶巾打了大衛一下。「人衛，把你的座位讓給達克斯，他自己一個人，沒有爸媽陪他過耶誕節。」

「真希望我沒有爸媽。」大衛低聲抱怨。

「我聽到嘍。」

「我沒關係啦，華勒斯太太。」達克斯說。綺霞和達諾尖叫著互相追逐，在客廳跑進跑出。

「達克斯，你想喝點什麼？要來個百果餡餅嗎？」

門鈴響起，薇吉妮亞快速奔出客廳。

「柳橙汁就好了，」達克斯回答，「謝謝。」

來的是柏托特跟他媽媽，後面跟著克里普斯太太，她提著一個耶誕蛋糕。

「耶誕快樂。」柏托特露出大大的笑容說。

「各位，進來吧！」薇吉妮亞大喊，所有人全都擠進客廳。

「謝謝你邀請克里普斯太太。」柏托特對薇吉妮亞低聲說。

「那是一定要的！」薇吉妮亞笑一笑，「沒有人應該獨自過耶誕節。」

祥恩端著一大盤切塊的香蕉、甜瓜和地瓜進來。「我端來給甲蟲的點心。」他宣布，並把盤子放在耶誕節報紙旁邊的咖啡桌上，甲蟲們毫不猶豫，巴克斯特跟馬文飛到餐盤上開始吃起來。巴克斯特爬到香蕉上，馬文則抱住地瓜。

「牛頓吃得不多。」柏托特帶著歉意解釋。

「好酷喔。」祥恩驚奇的盯著牠們。

麥西伯伯推著艾波亞教授的輪椅進來，椅子後面掛著一個裝滿禮物的袋子，他將那袋禮物放到耶誕樹下。三位母親——華勒斯太太、克里普斯太太和布倫小姐——一起坐在沙發上，各拿了一杯雪莉酒，討論咖啡桌上的報紙。頭版滿是電影獎的照片，大多是一絲不掛、尖叫著的小露比．希梭羅。

新聞報導說盧克莉霞．卡特瘋了，竟然設計活生生的甲蟲禮服，還說諾娃．卡特是個糟透的女演員，根本不應該獲得提名。

「我不懂。」柏托特拿起《每日新聞》，「為什麼沒有人談論盧克莉霞・卡特為了統治全世界釋放到生態系統的幾百萬隻甲蟲？」他搖了搖頭。

「因為報導光著身子的電影明星可以賣比較多報紙啊。」芭芭拉・華勒斯回應，其他兩位母親點頭附和。

「可是她的甲蟲正在外面肆虐啊！」麥西伯伯說，指著第五頁的一篇報導。「你們看，這裡有篇報導說德州的小麥作物毀了，美國宣布進入全國緊急狀態。」

「所以我們現在該怎麼做？」薇吉妮亞問。

「一月的第一週，」達克斯說，「在布拉格有場國際昆蟲學研討會。麥西伯伯會帶我去，還有石川佑樹博士也會參加。他也看了頒獎典禮的轉播。」

「他會去嗎？」柏托特微笑，「喔，那很好啊。」

「我也會去。」艾波亞教授說，「小小的黑寡婦阻止不了我去參加那場研討會。」

「達克斯要給參與研討會的科學家看一群獨特的甲蟲，」麥西伯伯自豪的說，「還要說個他們都得聽的故事。」

「巴克斯特，你願意去嗎？」達克斯咧開嘴笑了笑，巴克斯特飛到他的肩膀上，用頭輕輕蹭男孩的頸部。

「去過布拉格之後，」麥西伯伯說，「我和莫蒂席拉會到亞馬遜去執行救援任務。我們要去找巴弟、史賓賽和諾娃，把他們帶回家——還有，順便獵捕一下巨蟲。」他動了動眉毛。

「太棒了！」薇吉妮亞跳起來向空中揮了揮拳頭，「又要去冒險了。」

「安靜點。坐下，薇吉妮亞，」芭芭拉．華勒斯說，「我已經談夠冒險了。」

柏托特站起來。「我不喜歡冒險，一點也不喜歡。」然後轉身面向他媽媽，「但是我**必須**去救諾娃，她需要我們。」

「喔，拜託，媽！」薇吉妮亞抗議，「你在電視上看到了盧克莉霞．卡特吧。想想看諾娃幫助了我們，她會怎麼對付諾娃。你一定得讓我去啦。」

閃爍不定的螢火蟲和櫻桃紅的粗腿金花蟲飛到空中，在牠們的朋友頭上盤旋。

「今天是耶誕節。」芭芭拉．華勒斯舉起雙手，「你們三個孩子何不去拆個禮物？」她指向樹下的那堆禮物。「薇吉妮亞，紅色的那個怎麼樣？那是給你的。柏托特，達克斯，你們的是上面有星星的。」

薇吉妮亞悶悶不樂的跪了下來，掛了大量裝飾品的耶誕樹下塞了一堆禮物，她從中抽出紅色包裝的，再把柏托特和達克斯的禮物交給他們後看向她媽媽，等著媽媽允許她打開禮物。芭芭拉．華勒斯點頭，薇吉妮亞才意興闌珊的撕掉包裝紙，拿出一條迷彩褲子和一個迷彩布料的小包包，裡面塞滿了東西。

「哇！」她拉開暗釦，拉開包包上的拉鍊，把裡面的東西全倒在地板上，包括一個指南針、一把瑞士軍刀、一頂蚊帳、一包防水火柴、一個小急救包、一捲細繩，和一些淨水藥片。她抬起頭來看著媽媽。「這真是太棒了！」

達克斯跟柏托特撕開他們的禮物，發現他們也各自拿到一個迷彩小包包，塞滿同樣的東西。

「嗯，我想這些東西會很有用，」芭芭拉．華勒斯點了點頭，「假如你們要去亞馬遜叢林的話。」

「你准我去？」薇吉妮亞跳起來張開雙臂，飛撲到媽媽身上，緊緊擁抱她。

「指南針是讓你永遠可以找到回家的路。」芭芭拉．華勒斯說，輕輕撫摸薇吉妮亞的頭。

「喔，謝謝你，媽媽，謝謝，謝謝。」薇吉妮亞親吻媽媽的額頭和臉頰。

柏托特轉向他媽媽，她點了點頭。「我親眼看到了盧克莉霞那個女人。必須有人阻止她。」凱麗絲如．布倫露出自豪的笑容，「而且我認為這次我**不**去，你會表現得更好。」

「亞馬遜！」他喘不過氣的低聲說，看著達克斯。

達克斯點了點頭。「是時候了，該有人站出來反抗盧克莉霞．卡特，讓她明白這世界不屬於她。」

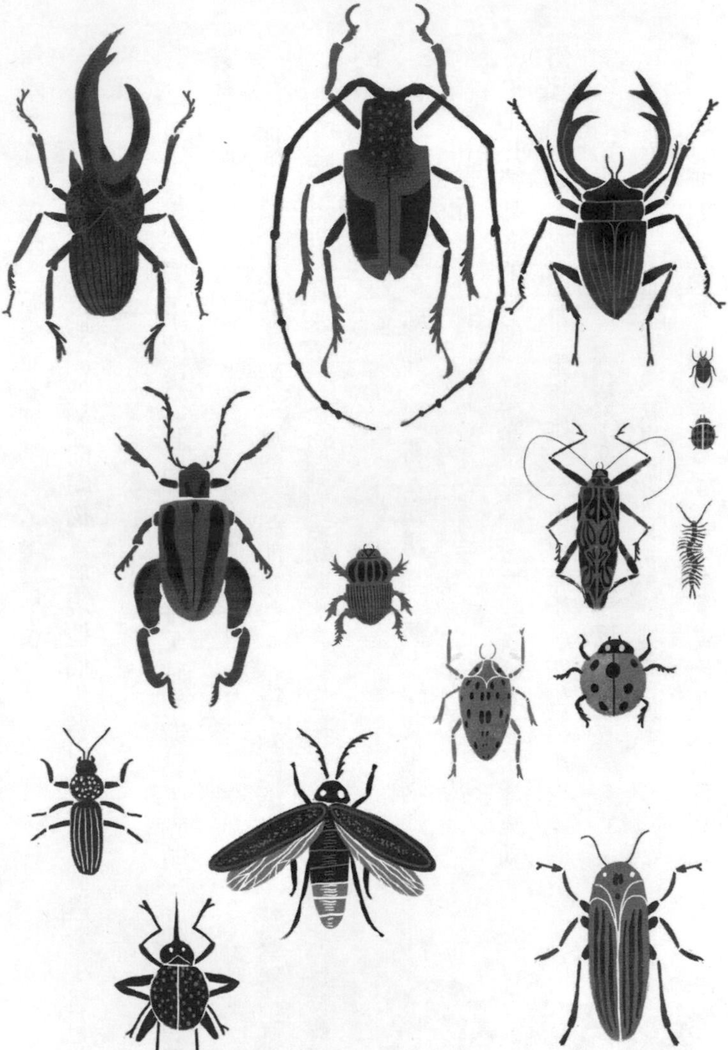

你知道牠們的名字嗎？

昆蟲學詞典

詞典內容及物種名審定 / 李奇峯（行政院農業試驗所應用動物組研究員）

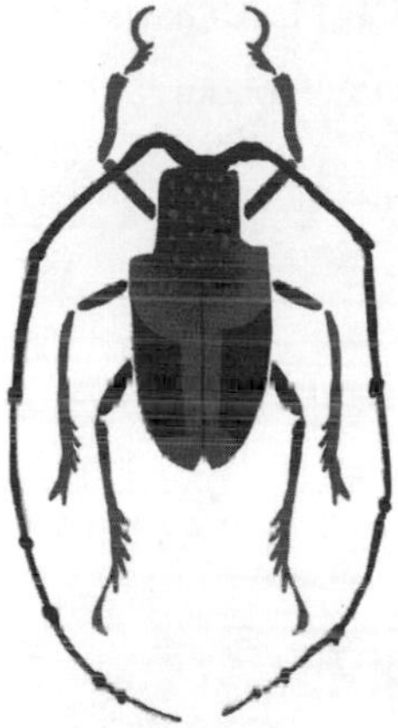

阿特拉斯南洋大兜蟲（Atlas beetles）

專指 *Chalcosoma atlas*（Linnaeus, 1758），隸屬於鞘翅目（Coleoptera）、金龜子科（Scarabaeidae）、兜蟲亞科（Dynastinae），是一種分布於東南亞的大型兜蟲。

放屁步行蟲（bombardier beetles or bombordiers）

是指步行蟲科（Carabidae）裡四個族（Brachini,Passini, Ozaenini, and Metriini）的種類（共超過五百種），主要的特徵就是當牠們受到干擾時，會從腹部末端噴出一股有毒的化學物質，並伴隨著放屁的聲音。

六月金龜（June beetles）

泛指北美溫帶地區六月普遍出現的金龜子，共有七種，其中兩種屬於花金龜亞科（Cetoniinae），五種屬於鰓角金龜亞科（Melolonthinae）。

白金龜屬（Cyphochilus）

隸屬於鞘翅目（Coleoptera）、金龜子科（Scarabaeidae）、鰓角金龜亞科（Melolonthinae）的一個屬，背部密布白色鱗片是主要的判斷特徵；分布於東南亞，臺灣有三個種類及一個亞種。

高卡薩斯南洋大兜蟲（Caucasus beetles）

學名為 *Chalcosoma caucasus*（Fabricius 1801），隸屬於鞘翅目（Coleoptera）、金龜子科（Scarabaeidae）、兜蟲亞科（Dynastinae）、南洋大兜蟲屬（Chalcosoma）的一個物種，是此屬體型最大的種類，算是亞洲體型最大的兜蟲。

螢光叩頭蟲（fire beetles）

專指叩頭蟲科（Elateridae）、螢光叩頭蟲屬（Pyrophorus）的種類，成蟲前胸背板後角具一對能持續發出螢光的斑點。

大角金龜屬（Goliath）

隸屬於鞘翅目（Coleoptera）、金龜子科（Scarabaeidae）、花金龜亞科（Cetoniinae）的一個屬，全世界只有五個種類，是全世界最巨大的昆蟲。

綠虎甲蟲（green tiger beetles）

專指一種大型綠色的虎甲蟲 *Cicindela campestris*（Linnaeus, 1758），廣泛分布於歐亞大陸。

海克利斯長戟大兜蟲（Hercules beetles）

專指 *Dynastes hercules*（Linnaeus, 1758），隸屬於鞘翅目（Coleoptera）、金龜子科（Scarabaeidae）、兜蟲亞科（Dynastinae），棲息於中南美洲雨林的一種兜蟲，為全世界最長的甲蟲。

大魔花螳螂（giant devil's flower mantis）

學名是 *Idolomantis diabolica*（Saussure, 1869），是擬態花朵的螳螂中最大型的，產於非洲。

螢火蟲科或稱螢科（Lampyridae）

隸屬於鞘翅目（Coleoptera）的一個科（family），就是俗稱的螢火蟲（fireflies），臺灣已知有五十六種。

美東白兜蟲（mottled Hercules beetles）

專指一種棲息於美國東部的兜蟲 *Dynastes tityus*（Linnaeus, 1763），又稱為 the eastern Hercules beetles，翅鞘上具黑色的斑點。

山松小蠹蟲 (mountain pine beetles)

專指原產於北美西部的一種小蠹蟲（*Dendroctonus ponderosae*），這種小蠹蟲及其攜帶的微生物大發生已經摧毀了廣大的松木林。

馬鈴薯象鼻蟲（potato weevil）

專指一種美國的象鼻蟲（*Trichobaris trinotata*），幼蟲取食馬鈴薯的莖部。

螳螂（praying mantis）

因為螳螂前腳拱起像在膜拜一樣，英文俗名可以是 mantis 或 praying mantis（描述了膜拜的動作）。

粗腿金花蟲（frog-legged beetles）

學名為 *Sagra bugueti*（Lesson, 1831），隸屬於鞘翅目（Coleoptera）、金花蟲科（Chrysomelidae）、粗腿金花蟲亞科（Sagrinae），粗腿金花蟲屬（Sagra）主要特徵是後腳腿節異常粗大。

小麥象（wheat weevils）

學名是 *Sitophilus granarius*（Linnaeus, 1758），是一種廣泛分布於全世界的倉儲害蟲，會造成穀物重大損失。

泰坦大天牛（titan beetles）

專指一種棲息於新熱帶區的天牛：*Titanus giganteus*（Linnaeus, 1771），為全世界最大的天牛。

敲敲擬步行蟲（tok-tokkie）

隸屬於擬步行蟲科（Tenebrionidae）的種類，並不限定於某個類群，而是指棲息於非洲、不會飛行且會用腹部敲擊地面的種類，由於經常敲擊地面而產生「叩、叩、叩……」的聲音，因此就有這個俗名：tok-tokkie。

豉甲（whirligig beetles）

是豉甲科（Gyrinidae）的英文俗名，這一科的種類平常棲息於水面，受到威脅時會潛入水中，而且警戒時會載水面快速滑動，形成一圈一圈的水波，因這樣的行為被取名 whirligig beetles（畫圓圈的甲蟲）。

蛀木性甲蟲（wood-boring beetles）

泛指會蛀入木頭、以木頭為食的甲蟲，如天牛及丁蟲的幼蟲、小蠹蟲等。

這本書發送到世界各地，為它在三十多個國家找到家。謝謝我可靠的編輯蕊秋．雷雄，我希望我寫的每一本書都由你來編輯。感謝瑞秋．希克曼令人讚嘆的封面和兩本書的插圖，讓讀者願意冒險選擇拿起不知名的作者的書。我必須謝謝精力充沛的莉茲．海德，她熱情、傑出、善於溝通，還有全球各地出版社優秀的工作人員，謝謝你們將甲蟲帶入年輕人的生命中。

貝瑞．康寧漢，你是終極的甲蟲擁護者。我一直都很珍惜你的慷慨大方。我由衷感激你為我和《甲蟲男孩》所做過——並且持續貢獻的一切。

我想要感謝皇家昆蟲學會以及昆蟲學團體，你們欣然接受、讚美、支持《甲蟲男孩》，並且寬容我對昆蟲的恐懼。我特別想謝謝彼德．史密瑟斯、賽門．雷得、路克．提利、派堤司．布夏爾和麥西．巴克萊，感謝他們的支持和友誼；你們全是我心目中的英雄。

最後我要謝謝身為讀者的你，以及寫部落格文章、在亞馬遜上寫評論、推薦我的書，或是把我的書當成禮物贈送的人，尤其要謝謝麥克．莫波格在封面上的引言。你們全都很棒。

我和你們的鞘翅目朋友由衷的感謝你們。

如果你們想多盡一分心力，可以上 www.buglife.org.uk 網站，參加歐洲唯一致力於無脊椎動物保育的組織，他們保護從甲蟲到蜜蜂的所有無脊椎動物。

作者謝詞

首先要感謝三位天使，沒有他們我無法成為作家。我想要感謝我的丈夫，山姆・斯巴林，他為我的寫作事業做了許多個人犧牲。他是我的第一位讀者，最棒的啦啦隊員，也是我可靠的死黨。謝謝我親愛的朋友克蕾兒・拉奇許，她是位非凡的試讀者。她的誠實、反饋與熱情幫忙引導了這個故事，以及我所有的小說。特別感謝珍・斯巴林，我的婆婆和孩子的珍奶奶，她是我所認識最慷慨和善的人。沒有這三位天使，《甲蟲女王》應該還寫到一半，躺在我的桌面上。

我欠莎拉・貝嫩博士無數的感謝，她擔任這套三部曲的科學顧問，幫助我克服對昆蟲的恐懼，讓我拿起我的第一隻甲蟲，並且跟我成為很好的朋友。如果你喜歡甲蟲，你應該去一趟莎拉的昆蟲農場，那是位在英國朋布羅克郡的美妙旅遊景點，在那裡你可以觸摸昆蟲，充分了解這些讓地球運轉的小生物。詳細的介紹請上：www.drbeynonsbugfarm.com。

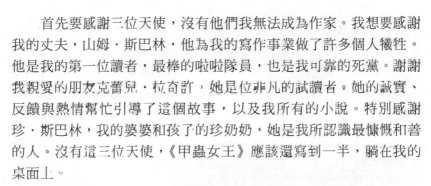

非常感激國家劇院准許我休假，尤其感謝愛麗絲・金－法洛，她對一切都非常的慷慨大方且諒解。愛麗絲，如果沒有你的支持，我的二〇一六年勢必會截然不同。

我想要謝謝我活力充沛的經紀人，柯絲蒂・麥克拉蘭，以及出版社的大家。傑茲、艾絲特、蘿拉、莎拉和凱斯，你們都非常棒。艾利諾・巴格納爾，我偷偷暗戀你，不過你八成知道吧。感謝你將

少年天下系列 —————————————— 054

甲蟲男孩2：女王再臨

作　　者｜M. G. 里奧納（M.G. Leonard）
譯　　者｜黃意然

責任編輯｜李幼婷、洪翠薇
封面設計｜謝捲子
內頁編排｜極翔企業有限公司
行銷企劃｜葉怡伶

天下雜誌群創辦人｜殷允芃
董事長兼執行長｜何琦瑜
兒童產品事業群
副總經理｜林彥傑
總監｜林欣靜
版權專員｜何晨瑋、黃微真

出版者｜親子天下股份有限公司
地址｜台北市104建國北路一段96號4樓
電話｜（02）2509-2800　傳真｜（02）2509-2462
網址｜www.parenting.com.tw
讀者服務專線｜（02）2662-0332　週一～週五：09:00~17:30
讀者服務傳真｜（02）2662-6048
客服信箱｜bill@cw.com.tw
法律顧問｜台英國際商務法律事務所・羅明通律師
製版印刷｜中原造像股份有限公司
總經銷｜大和圖書有限公司　電話：（02）8990-2588

出版日期｜2019年12月第一版第一次印行
　　　　　2021年 9 月第一版第四次印行
定　　價｜360元
書　　號｜BKKNF054P
I S B N｜978-957-503-522-8

訂購服務 ——————————————————
親子天下 Shopping｜shopping.parenting.com.tw
海外・大量訂購｜parenting@cw.com.tw
書香花園｜台北市建國北路二段6巷11號　電話（02）2506-1635
劃撥帳號｜50331356　親子天下股份有限公司

國家圖書館出版品預行編目資料

甲蟲男孩. 2, 女王再臨 / M. G.里奧納（M. G. Leonard）文；黃意然譯. -- 第一版. -- 臺北市：親子天下, 2019.12
304面；14.8 x 21公分. -- (少年天下系列；54)
譯自：Beetle queen
ISBN 978-957-503-522-8（平裝）

873.59　　108018961